Magda Guinovart

Et si j'apprenais
la peinture sur bois

ÉDITIONS
PLACE DES VICTOIRES

© Arco Editorial, 2001
© Éditions Mengès et Place des Victoires, 2001
pour l'édition en langue française
6, rue du Mail – 75002 Paris

Titre original : *Pintura decorativa sobre muebles*
Texte original de Magda Guinovart
Photographies de Rafael Manchon
Editeurs : Raquel Renondo et Rosa Tamarit

Adaptation française : Martine Richebé
Photocomposition : Nord Compo Villeneuve d'Ascq

Achevé d'imprimer en mars 2002
par CLERC S.A. - 18200 St-Amand-Montrond
ISBN 2-84459-029-2
Dépôt légal : 2e trimestre 2001

La peinture sur bois

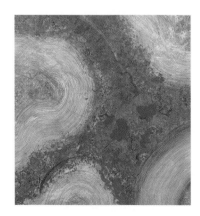

PAS À PAS

PAS À PAS

Introduction

Mettre en valeur un matériau chaleureux et naturel comme le bois est un passe-temps gratifiant, qui permet de se libérer momentanément des soucis et tensions de la vie quotidienne. Comme toute activité manuelle, la décoration de meubles et d'objets en bois offre non seulement la possibilité d'exprimer sa créativité, mais aussi d'exécuter des pièces uniques qui enrichissent notre cadre de vie.

Certains hésitent a priori à se lancer dans l'aventure, rebutés par la taille imposante des meubles dont ils souhaiteraient modifier l'esthétique ou encore effrayés par l'apparente difficulté des techniques à mettre en œuvre, estimant à tort que cette tâche dépasse leurs compétences.

Les exemples présentés dans ce livre témoignent que modifier l'aspect d'un meuble ou d'un objet en bois de façon à ce qu'il s'intègre de façon harmonieuse à un intérieur n'a rien d'une entreprise insurmontable.

Certaines techniques d'une grande simplicité produisent des effets surprenants.

N'avez-vous pas pensé en feuilletant cet ouvrage à une vieille commode ou à un meuble ordinaire en bois blanc qui dorment depuis longtemps dans un coin de la cave ou du grenier ? Pourquoi ne pas leur faire subir une transformation radicale ?

Vous surprendrez certainement vos proches et vos amis en métamorphosant non seulement des meubles, mais aussi divers petits objets décoratifs – coffrets, accessoires de bureau, etc.

N'hésitez pas à vous lancer dans l'aventure. Découvrez le plaisir de

réaliser à peu de frais des finitions uniques et hautement décoratives, tout en ayant le plaisir de donner libre cours à votre sens artistique.

Ce livre rassemble les 30 techniques décoratives les plus couramment employées, exposées et illustrées de façon claire, étape par étape. Nous avons choisi, pour leur mise en œuvre, un éventail aussi large que possible de meubles et d'objets, de manière à couvrir le plus grand nombre de besoins : plateau, tête de lit, pied de lampe, table, bibliothèque, cadre, coffre, chaise, etc.

Libre à vous d'associer plusieurs procédés pour décorer une même pièce ou de choisir d'autres couleurs ou d'autres motifs, répondant plus à votre goût ou s'harmonisant mieux au style de votre intérieur. Les exemples pratiques sont classés en trois grandes parties, selon la taille des éléments à traiter. Cela ne signifie pas pour autant que la décoration d'un meuble de grande taille soit forcément plus complexe, mais simplement qu'elle nécessite plus d'espace. Dans tous les cas, les fournitures nécessaires à l'exécution de ces projets se trouvent sans aucun problème dans les magasins de bricolage ou de fournitures pour artistes, et leur emploi ne présente aucun risque.

Décoration des meubles. Préparation des fonds

Le bois reste le matériau le plus employé dans la fabrication des meubles : chaises, tables, coffres, buffets… Si l'on en juge d'après les éléments de mobilier domestique qui nous sont parvenus au travers des siècles, il en a toujours été le principal constituant. Les artisans apportaient déjà beaucoup de soin à son ornementation, dont le but essentiel était, comme aujourd'hui, de mettre les meubles en valeur, à la fois pour les différencier de meubles de facture similaire et pour les harmoniser à l'ensemble d'un décor.

Si l'on fait abstraction de l'évolution du goût au fil des siècles, le traitement décoratif des meubles répond désormais à de nouveaux besoins. Ainsi, il aurait été impensable à une époque plus ancienne de vieillir artificiellement un meuble neuf en bois blanc, comme on le fait maintenant.

De plus, ce que l'on recherche avant tout de nos jours au travers d'une décoration de facture artisanale, c'est de pouvoir personnaliser meubles et objets dans un environnement qui tend de plus en plus à l'uniformisation.

Certaines techniques présentent en outre l'avantage non négligeable de se substituer à des matériaux naturels dont les ressources s'épuisent inexorablement. Ainsi, l'imitation d'essences exotiques sur des bois plus ordinaires a le mérite de contribuer utilement à la protection d'espèces à croissance lente, comme l'ébène ou le palissandre, qui font l'objet d'un abattage irréfléchi.

Grâce à la découverte de nouveaux matériaux, la création d'effets particuliers, autrefois plus difficiles voire impossibles à obtenir, est désormais à la portée de tous. Le travail dans les ateliers de la Renaissance aurait été bien différent si les artisans avaient disposé de la gamme étendue de produits prêts à l'emploi qui nous sont actuellement proposés…

Préparation des fonds

Pour obtenir de bons résultats, il est nécessaire de préparer soigneusement le bois, c'est-à-dire d'en traiter et corriger les imperfections – fentes, rayures, parties vermoulues, etc., pour disposer d'une surface lisse et uniforme.

Si, pour illustrer les exercices présentés dans ce livre, nous avons préféré travailler sur des éléments en bois blanc, n'ayant jamais reçu de traitement de finition, les techniques proposées peuvent aussi bien s'appliquer à de vieux meubles à condition de les débarrasser de tous restes de cire, peinture ou vernis, afin de mettre le bois à nu et de le préparer avec soin.

Les bois anciens, surtout les résineux, présentent presque toujours des signes d'attaques d'insectes xylophages, les trous de vrillette en étant les manifestations les plus fréquentes. Il importe d'en évaluer l'ampleur. S'ils sont limités, vous pouvez vous contenter de traiter le bois avec un produit spécifique, soit au pinceau, soit par injection, en obturant ensuite les trous avec de la pâte à bois.

Lorsque les dimensions du meuble ou de l'objet le permettent, enveloppez-le entièrement dans un sac en matière plastique hermétiquement fermé après l'avoir traité et attendez ainsi quelques jours que le produit insecticide ait fait son effet.

Décapage

Pour mettre à nu un bois peint, mieux vaut avoir recours aux décapants chimiques. Il faut en effet proscrire l'emploi du chalumeau, qui risque de noircir le bois en le brûlant. De même, quand la couche de peinture est suffisamment ramollie sous l'effet du produit décapant, il ne faut surtout pas employer de brosse métallique pour la retirer, car elle abîmerait les fibres du bois.

Les décapants sont des produits très agressifs, de consistance gélatineuse, qui s'appliquent en couche épaisse sur la surface à traiter.

Le produit doit être appliqué zone par zone. Laissez-le agir une quinzaine de minutes avant de le retirer avec une raclette sans attendre qu'il se dessèche trop. Suivez bien dans tous les cas les instructions du fabricant et travaillez toujours dans un local bien aéré, avec des gants en caoutchouc épais, des lunettes de protection et des vêtements bien couvrants.

Une fois la peinture éliminée, frottez le bois avec un chiffon imbibé d'essence de térébenthine qui neutralise l'action du décapant, puis laissez-le sécher.

Après avoir subi cette préparation, les meubles anciens acquièrent un aspect comparable à celui des meubles en bois blanc.

Rebouchage

L'étape suivante, tant pour les meubles neufs que pour les meubles anciens, consiste à reboucher les fentes ou autre défaut du bois.

Vous pouvez fabriquer vous-même votre pâte à bois en mélangeant de la sciure du même bois à de la colle blanche. L'opération de rebouchage terminée, poncez entièrement la pièce au papier abrasif fin, dans le sens des fibres, puis dépoussiérez-la soigneusement. Le

bois peut alors être mis en valeur à l'aide de teintures, comme de peintures à l'eau ou à l'huile.

Pour restaurer des éraflures ou autres dommages superficiels, on trouve également dans le commerce des bâtons de cire à reboucher dans une gamme étendue de teintes. Par contre, le bois ainsi traité ne peut recevoir de finition à base aqueuse, car elle ne pourrait adhérer à la cire, toute substance grasse repoussant naturellement l'eau.

Application de gesso

En fonction de la technique retenue, l'application de gesso s'avère parfois nécessaire.

À la différence du bouche-pores, qui est un produit d'impression transparent, le gesso est beaucoup plus couvrant, isolant totalement le bois de la couche picturale et masquant entièrement ses veines. Il constitue une base idéale pour les techniques picturales nécessitant un fond blanc parfaitement lisse. Dans le domaine de la peinture

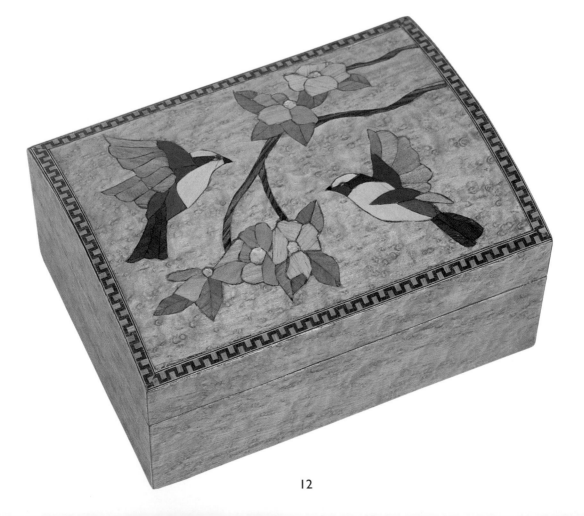

artistique, c'est la sous-couche traditionnelle par excellence, notamment pour les retables ou autres types de peintures à l'huile sur bois.

Le gesso classique s'obtient en diluant du blanc de Meudon avec un liant à base aqueuse, colle de peau de lapin ou colle à la caséine, et en ajoutant du blanc de zinc comme pigment. On trouve actuellement un gesso prêt à l'emploi, composé de blanc de Meudon, de liant acrylique et de pigment blanc, beaucoup plus commode à utiliser et très résistant.

Appliquez le gesso en couche fine à la brosse plate. Quand il est sec, poncez-le avec un papier abrasif à grain fin. Avec deux couches, ou plus, de gesso, vous obtiendrez une surface incroyablement lisse, idéale pour des techniques de finition comme l'imitation de la porcelaine. Étant donné son opacité, il est bien sûr déconseillé de l'utiliser lorsque l'effet recherché repose au contraire sur la mise en valeur des veines du bois.

Application de bouche-pores

Les bouche pores les plus employés sont à base de résines dissoutes dans de l'alcool. Comme leur nom l'indique, ils servent à boucher les pores du bois pour en fa-

ciliter la préparation, celui-ci étant alors beaucoup moins perméable.

Ils sont particulièrement indiqués pour préparer des bois aux pores très ouverts comme le chêne, dans la mesure où les veines, restant alors apparentes, doivent jouer un rôle dans la finition décorative.

Il est conseillé de poncer la pièce avant l'application du bouche-pores et de répéter cette opération quand il est sec. Pour que le produit imprègne bien le bois, appliquez-le en mouvements circulaires avec un tissu bien imbibé de produit. Puis essuyez-en l'excédent au chiffon, perpendiculairement aux fibres du bois.

Outils et fournitures

Outre les produits de décapage et d'apprêt, dont la fonction est de préparer le bois à recevoir un traitement de finition, les produits de finition les plus souvent employés dans la décoration du bois incluent les teintures, les vernis, les cires, les produits spécifiques à certaines techniques, comme les différents types de peintures et leurs solvants.

Pour les décors plus sophistiqués, on utilise des feuilles d'or ou d'argent et des matériaux d'incrustation précieux, comme la nacre.

Nous vous proposons ci-après une présentation des outils et matériaux qui vous permettront de mener à bien les projets exposés dans ce livre.

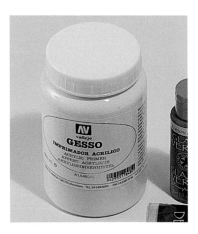

Produits de finition

Teintures

Les teintures sont des liquides pigmentés dont la fonction est de colorer le bois ou de modifier sa tonalité naturelle sans en masquer les veines. On les différencie d'après le liquide servant de milieu de suspension aux pigments finement broyés : eau, essence grasse (essence de térébenthine, etc.) ou alcool.

L'absorption de la teinture par le bois est fonction du degré de porosité de ce dernier et du sens dans lequel il a été débité. Les essences les plus poreuses (amandier, bouleau, peuplier) admettent n'importe quel type de teinture, alors que l'emploi de teintures à base d'alcool est à réserver aux essences à grain serré.

Les différentes parties du bois – veines, nœuds et zones intermédiaires – absorbent inégalement la teinture. Celle-ci fait en général ressortir les veines, qui restent plus claires que le bois adjacent, celui-ci étant plus poreux.

Étendez les teintures sur le bois nu avec un tampon de mèche de coton bien imprégné, toujours dans le sens des fibres. Les teintures laissant des taches indélébiles, protégez vos vêtements et portez des gants de caoutchouc.

Autrefois, les teintures n'étaient employées que pour foncer les bois clairs, comme le pin ou le sapin, ou rehausser la beauté d'essences nobles comme le noyer ou l'acajou.

Aujourd'hui, on dispose d'un si large éventail de colorants synthétiques ou naturels que l'on peut teindre le bois dans n'importe quel ton, avant d'appliquer une finition à la cire ou au vernis.

À côté des teintures les plus courantes, les professionnels de l'ébénisterie ont encore recours aux teintures chimiques traditionnelles qui non seulement colorent le bois, mais engendrent à son contact une réaction chimique qui provoque un changement de tonalité.

L'une des teintures chimiques les plus utilisées est le bichromate de potasse qui, dissous dans l'eau, a pour effet de foncer le chêne et de donner une tonalité rougeâtre aux acajous les plus pâles.

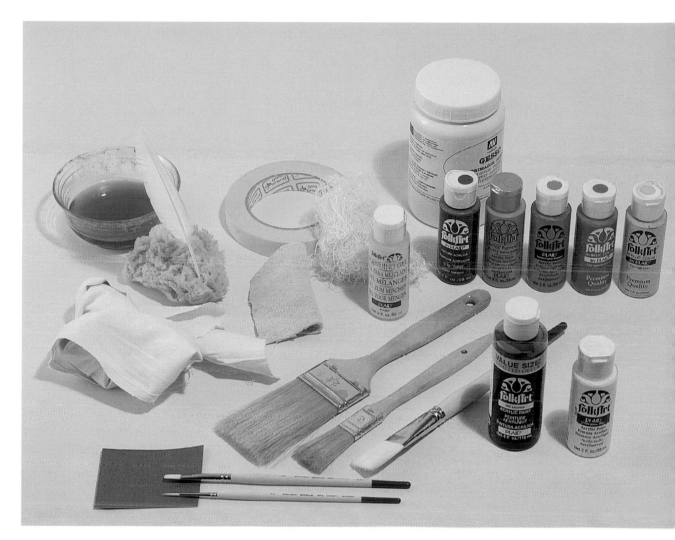

De même, une solution de cristaux de permanganate de potassium confère au pin une tonalité d'un marron chaud. Ces teintures chimiques sont toxiques et exigent d'être manipulées avec le plus grand soin. En outre, il est préférable de procéder à des essais préalables sur des zones peu visibles.

Colorants

Généralement, les colorants sont des pigments déjà mélangés à de la cire et prêts à être appliqués avec un chiffon sur le meuble à traiter. À la différence des teintures, ces cires colorantes ne pénètrent pas dans les fibres du bois, mais constituent un traitement de surface. Elles

sont prêtes à l'emploi. Il suffit de les appliquer directement sur le bois à l'aide d'un chiffon en coton et de les faire briller avec un chiffon en laine quand elles sont sèches.

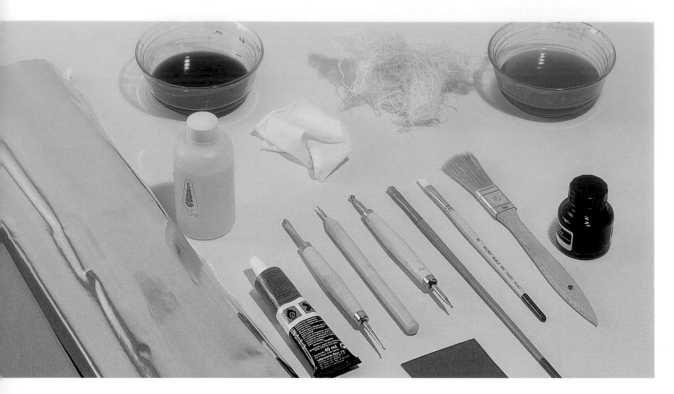

Décolorants

Contrairement aux teintures et cires teintées, l'action des décolorants résulte d'un processus chimique dont la finalité est de diminuer l'intensité de la couleur d'un bois.

La décoloration du bois, traditionnelle dans le cas, par exemple, du mobilier scandinave, redevient d'actualité dans le cadre d'une décoration simple et rustique, et peut être nécessaire aussi pour éliminer des taches ou nettoyer des bois anciens. Pour blanchir le bois, on peut avoir recours à une solution de cristaux d'acide oxalique à 1 %, ou à un produit spécifique, vendu prêt à l'emploi.

Si vous utilisez de l'acide oxalique, prenez la précaution de verser les cristaux dans l'eau et non le contraire. Il s'agit en effet d'un produit hautement toxique, et nous vous conseillons de suivre à la lettre les instructions du fabricant.

Les décolorants industriels sont un peu plus efficaces que l'acide oxalique ; ils éclaircissent le bois sans en altérer la tonalité naturelle. Ils sont formés de deux composants conditionnés séparément et qu'il ne faut pas mélanger directement, sous peine de provoquer une réaction chimique dangereuse.

Étendez sur le meuble une couche du premier composant et, après quelques minutes, appliquez une quantité égale du second composant. La décoloration résulte d'un processus d'oxydation, qui doit être ensuite neutralisé suivant les instructions du fabricant.

Utilisez, pour l'application de ces décolorants, une brosse en soies synthétiques, et travaillez dans un local bien aéré, en protégeant vos vêtements et en portant des gants.

Cires

La cire d'abeille est une substance naturelle, largement employée pour

la finition des meubles en bois, auxquels elle confère un lustre satiné et
un toucher soyeux. Elle revitalise le
bois, enrichit sa tonalité et lui donne
un aspect chatoyant.

Passez la cire en mouvements
circulaires, avec un tampon en laine
d'acier extra-fine. Puis frottez-
la avec un chiffon en laine ou avec
un disque de lustrage fixé sur
l'axe d'une perceuse. Réchauffée
par le frottement, la cire se ramol-
lit et acquiert un lustre caractéristique.

On trouve sur le marché des
cires teintées, en général dans la
tonalité même du bois sur lequel
elle doit être appliquée, comme
l'acajou, le chêne ou le noyer. Il
existe aussi des cires teintées au
pigment « noir de fumée » qui
donnent au bois un aspect vieilli.

Avant d'appliquer la cire sur un
bois nu, il est préférable de le traiter au bouche-pores.

Vernis

Le vernis est une matière rési-
neuse employée en traitement de
finition, pour donner au bois une
plus grande résistance à l'usure et
aux taches, et assurer sa protection
contre l'humidité et les insectes
xylophages.

Les vernis peuvent présenter
trois aspects différents :

Vernis brillants, convenant à des
finitions décoratives comme l'imitation écaille de tortue ou à d'autres
techniques requérant un brillant exceptionnel. Ce sont les vernis les
plus solides, mais aussi ceux qui font
le plus ressortir les inégalités de
surface.

Vernis satinés, les plus souples
d'emploi et les plus recommandés
quand il s'agit d'obtenir un fini
soigné et chaleureux.

Vernis mats, adaptés aux traite-
ments plus discrets et dissimulant
mieux les défauts.

Voici, suivant leur composition,
les vernis qui servent le plus à la
décoration des meubles :

Solutions de gomme-laque à appliquer au tampon, méthode
traditionnelle à laquelle restau-
rateurs et ébénistes ont recours
pour la finition des pièces les plus
précieuses. On en imbibe un tampon que l'on frotte en mouvement
circulaires sur la surface du meuble.

Le vernissage au tampon produit
des finis cristallins, mais s'avère
laborieux et donne un résultat peu
résistant à l'usure. Il est à réserver
à la restauration de meubles
anciens.

Vernis gras, composés d'huiles
siccatives, comme l'huile de lin, et de
résines solides. Leur séchage est
très lent et dégage une forte odeur.
Ils ont en outre tendance à jaunir
avec le temps, ce qui explique qu'on
leur préfère aujourd'hui les vernis
synthétiques, bien plus écono-
miques et faciles d'emploi.

Vernis au polyuréthane, à base
de résines polyester ou acryliques.
Ils sont d'une grande solidité, ce
qui fait d'eux des produits tout
indiqués pour le revêtement des
planchers ou des menuiseries
exposées aux intempéries. Les
vernis au polyuréthane les plus
résistants sont vendus sous forme
de deux composants, dont un
catalyseur.

Laques cellulosiques. Imitant les finis traditionnels de la laque chinoise, elles sont composées de liants dérivés de la nitrocellulose et d'un composant plastique. Les laques les plus brillantes renferment en outre de la résine maléique, qui leur confère un brillant exceptionnel dès la première application. Elles se caractérisent par leur facilité d'application et de ponçage et, bien qu'elles soient très dures, elles sont néanmoins déconseillées pour l'extérieur ou pour le revêtement de sols, car elles ont tendance à se fendiller avec les changements de température ou sous la moindre pression.

Laques naturelles. La plus connue, d'origine orientale, est la sève élaborée d'un arbre de l'espèce *Rhus* ; elle s'applique en multiples couches qui donnent lieu, en séchant, à un fini caractéristique d'une exceptionnelle dureté. Il existe d'autres laques végétales, comme la gomme dammar, issue de résines en provenance de Sumatra, ou la laque au mastic, à base de résines de l'île grecque de Quios. Cette catégorie de laques est aujourd'hui tombée en désuétude, car elles sont très difficiles à trouver et d'application très laborieuse.

Vernis synthétiques. Ils sont constitués de résines alkydes et

d'huiles siccatives diluées dans un hydrocarbure. Les résines alkydes ou glycérophtaliques forment, après séchage du vernis, une pellicule très résistante aux agents chimiques et aux intempéries, que le fini soit brillant, satiné ou mat. La même base, additionnée de pigments, donne des peintures alkydes ou glycérophtaliques.

Vernis à craqueler. Il crée un effet craquelé imitant l'aspect d'un bois peint ayant subi le passage du temps. Le vernis à craqueler s'applique au pinceau en quantité proportionnelle à la densité de craquelures que l'on souhaite obtenir. Les craquelures peuvent être mises en relief avec une patine à ombrer.

Patine

Substance de couleur sombre, employée dans la décoration du bois pour obtenir un aspect faussement ancien. La patine la plus populaire est le bitume de Judée, employé aussi pour vieillir les dorures. Elle est appliquée au pinceau, puis immédiatement frottée au chiffon, jusqu'à obtention d'un résultat satisfaisant.

Gomme liquide pour réserves

Formant un film protecteur imperméable quand elle est sèche, la gomme liquide permet de réser-

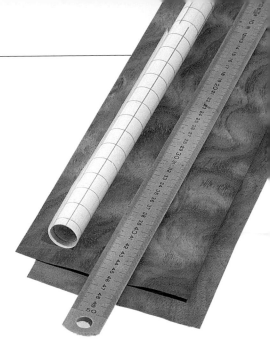

ver certaines parties du bois dont on ne souhaite pas que la teinte soit affectée par l'application d'une autre couleur. Une substance grasse comme la cire peut aussi permettre de faire des réserves sur le bois lorsqu'on emploie, pour le décorer, des couleurs à l'eau.

Feuilles de métal

Pour mettre en œuvre des techniques qui incluent la dorure à la feuille, un carnet de feuilles d'or est nécessaire, qu'il s'agisse d'or véritable ou de faux or, ce dernier permettant d'obtenir à un moindre coût des résultats semblables. Les feuilles d'or sont très fines et demandent à être manipulées avec précaution. On les applique à la brosse sur une couche adhésive de mixtion à dorer, permettant de fixer la feuille sur le bois.

Peintures

Les progrès de l'industrie chimique ont mis à la portée des professionnels et des amateurs une très vaste gamme de peintures répondant à tous types de besoins. Aujourd'hui, on peut trouver sur le marché, outre les peintures traditionnelles à l'eau et à l'huile, des peintures antirouille, ignifuges, insecticides, métallisées, bitumineuses, non toxiques, anti-incrus-

tantes pour les coques de bateaux, etc.

Grâce à un processus informatisé de mélange de teintes, de nombreux magasins offrent, en outre, la possibilité d'obtenir sur mesure une nuance précise.

Un tel choix peut prêter à confusion, et nous nous limiterons donc à présenter ci-après les principales caractéristiques des peintures employées pour l'exécution des techniques exposées dans cet ouvrage.

Couleurs acryliques

Pour la plupart des projets proposés dans les pages suivantes, nous avons employé des couleurs acryliques conçues spécialement pour les arts plastiques. Ces peintures présentent une opacité identique à celle de la gouache, et sont plus couvrantes que les peintures acryliques ordinaires.

Leur solvant étant l'eau, elles sont très faciles à manipuler, sèchent vite et sans odeur, et conviennent donc très bien à la plupart des projets exposés. Le nettoyage à l'eau des pinceaux et outils est un avantage supplémentaire.

Lorsqu'il est nécessaire d'allonger le temps de travail, il suffit d'ajouter à la peinture un agent retardateur de séchage, qui permet alors de

l'employer à la manière d'une peinture à l'huile.

On trouve sur le marché différentes marques de peintures offrant des caractéristiques similaires et de superbes gammes de couleurs. Nous souhaitons attirer votre attention sur le fait que la nomenclature des couleurs diffère d'un fabricant à l'autre.

Diluée au médium acrylique, la peinture acrylique peut être utilisée comme glacis dans les techniques qui le préconisent.

On trouve aussi dans le commerce un glacis acrylique prêt à l'emploi, préparation semi-transparente de consistance légère, qui ajoute de la couleur et de la profondeur à l'élément à traiter, et permet aussi de créer des textures ou des effets spéciaux.

Couleurs à l'huile

Les couleurs à l'huile sont composées de pigments finement broyés en suspension dans de l'huile de lin. L'huile, une fois sèche, forme un film très solide et imperméable qui durcit lentement au fil des ans et résiste bien au passage du temps.

Leur solvant est l'essence de térébenthine, ce qui explique que le nettoyage des pinceaux est plus fastidieux que dans le cas des couleurs acryliques ; elles présentent en outre l'inconvénient d'être plus onéreuses.

Les couleurs à l'huile ont été, durant des siècles, les couleurs préférées des artistes, en raison de leur transparence et de leur saturation alors inégalées.

Aujourd'hui, les couleurs acryliques rivalisent en qualité avec les couleurs à l'huile. Toutefois, le séchage lent de l'huile peut constituer un avantage pour l'exécution de projets qui demandent plus de temps.

Couleurs à l'aquarelle

Les couleurs à l'aquarelle se présentent sous forme de godets ou pastilles et sont composées de pigments finement broyés liés à la gomme arabique.

On les applique au pinceau humide de telle sorte qu'après évaporation de l'eau, la gomme arabique retrouve son rôle de liant.

La technique de l'aquarelle, et notamment celle du lavis, permet d'obtenir des transparences d'une grande délicatesse.

Outils

Les techniques de décoration les plus simples ne nécessitent pas un nombre important d'outils. La plupart d'entre eux se trouvent sans doute déjà dans votre boîte à outils.

Si ce n'est pas le cas, vous pourrez en faire l'acquisition dans n'importe quel magasin de bricolage.

Certaines finitions requièrent, en revanche, l'emploi d'outils spécifiques, comme la brosse à pocher ou la brosse à lisser. Ce genre d'outil se trouve dans les magasins spécialisés.

Pinceaux et brosses

Ils sont constitués d'un manche, en général en bois, et d'une touffe de poils fixée à ce manche par l'intermédiaire d'une bague métallique appelée virole.

Les brosses se différencient des pinceaux par leur taille ; les brosses plates sont classées par largeur et sont probablement les outils offrant le plus de ressources, puisqu'elles peuvent servir à la fois à étendre un produit d'impression, une teinture, une peinture ou un vernis.

Mieux vaut acheter des pinceaux et brosses de bonne qualité et les nettoyer méticuleusement après usage : leur durée de vie en sera prolongée et les résultats obtenus seront plus soignés. Les pinceaux bon marché perdent leurs poils et leur touffe a tendance à se diviser assez vite en deux à l'usage.

Si vous prévoyez de travailler aussi bien avec des couleurs acryliques que des couleurs à l'huile, réservez un jeu de pinceaux à chacun de ces médiums.

Les pinceaux fins permettent de peindre de petits détails. Ils se fabriquent en diverses qualités de poils, les plus fins étant en poils de martre ou de blaireau, les autres étant à base de poils d'autres animaux ou de fibres synthétiques. Ils se différencient aussi par la forme de leur touffe.

Il est bon de disposer de pinceaux fins de différentes tailles, pour peindre des motifs décalqués ou à main levée.

Raclettes et couteaux de peintre

Ils sont indispensables, tant pour éliminer les restes de peinture ramollis par le décapant, que pour reboucher les fentes à la pâte à bois. Veillez à bien les nettoyer dès le travail achevé, car les restes de produit sont plus difficiles à éliminer quand ils sont secs.

Papier abrasif

Irremplaçable pour une préparation satisfaisante des surfaces en bois, le papier abrasif présente divers degrés de finesse, du grain le plus grossier au grain le plus fin. Bien que la classification varie d'un fabricant à l'autre, l'échelle va en général du n° 80 (grain le plus grossier) au numéro 240 (grain le plus fin).

Les papiers de couleur noire (au carborundum) sont conçus pour un ponçage à l'eau et pour obtenir sans poussière des finis très lisses. On s'en sert en général pour poncer les vernis, les autres convenant très bien à un usage général.

Pour poncer, vous pouvez utiliser une cale en bois ou en liège sur laquelle fixer le papier abrasif, ou vous servir de tampons abrasifs, très commodes pour le ponçage des moulures concaves ou convexes.

Quand la pièce à traiter présente de grandes surfaces planes, une ponceuse électrique peut vous faciliter la tâche : il faut alors utiliser des feuilles de papier abrasif adaptées à cet emploi, plus résistantes à la déchirure.

Certains outils spécifiques peuvent aussi s'avérer nécessaires :

Brosse à pochoir. Conçue pour être utilisée avec des pochoirs, elle se différencie des brosses traditionnelles par son manche court et sa touffe serrée de soies raides, à bout plat. On en tamponne verticalement les pochoirs par petits coups secs et rapides.

Brosse à lisser ou « queue à battre ». Brosse plate, à poils longs et épais, généralement en crin de

cheval, employée pour créer des textures rayées sur les glacis humides.

Brosse à pocher. Pour « soulever » les glacis humides en fines particules et créer un effet finement moucheté.

Blaireau à estomper. Brosse en poils de blaireau d'une grande finesse, utilisée pour caresser la surface de la peinture en vue de la nuancer et d'estomper les touches.

Peigne. Outil en caoutchouc ou en métal, propre à la peinture décorative, présentant sur chaque côté des rangées de dents de différentes tailles et servant à créer sur un glacis humide un effet de veinures ou tout autre effet décoratif.

Appareil à pyrograver. Appareil électrique ressemblant à un appareil à souder, servant à graver des motifs sur le bois en le brûlant à l'aide d'une pointe chauffée au rouge.

Plumes d'oiseau. Utilisées pour la technique du faux marbre ou tout autre effet texturé. Les meilleures sont les plumes d'oie, qui fournissent des tracés aléatoires imitant à la perfection les veines du marbre.

Éponges. Les éponges naturelles sont celles qui conviennent le mieux à la peinture à l'éponge. Les éponges synthétiques, plus rigides, peuvent être découpées en tampons décoratifs personnalisés.

Chiffons. Indispensables, non seulement pour étendre les patines, harmoniser les teintures, mais aussi pour lustrer les finitions cirées (chiffon en laine) ou pour appliquer un bouche-pores (serpillière) ou encore pour vernir au tampon (chiffon en coton).

Laine d'acier. On l'emploie pour étendre les cires, ou pour polir les vernis. Elle est disponible en divers degrés de finesse.

Mèche de coton. Sert à appliquer les teintures ou certains vernis artisanaux de façon homogène.

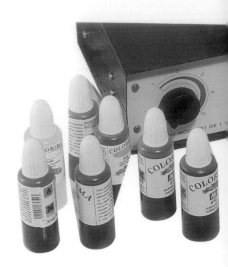

Ruban de masquage. Ruban adhésif qui permet de délimiter la zone de travail, en protégeant de toute souillure les parties adjacentes. Peut également servir à maintenir en place des petits éclats de bois le temps que la colle prenne.

Règle métallique. Utile à la fois pour prendre des mesures et pour tracer des droites.

Cutter. Sert à couper le bois de placage ou le carton à pochoir avec netteté et précision.

Repoussoirs. Disponibles en différentes tailles, on les emploie pour repousser les feuilles de métal sur le bois.

Tournevis et pinces. Indispensables à l'extraction des vis et des clous, en cas de démontage d'une pièce.

Vrille. Sert à percer des avant-trous pour les clous ou les vis, surtout dans les moulures ou les placages, pour éviter de les endommager.

Ciseau à bois. Utile à l'élimination des restes de colle sur des meubles anciens, pour ne pas abîmer le bois avec des produits chimiques.

Fer à souder. S'utilise toujours à basse température, pour faire fondre les bâtons de gomme-laque ou de cire à reboucher.

Rouleau applicateur. Sert à faire adhérer fermement les feuilles de placage à leur support.

Pistolet à colle, agrafeuse. Utiles à la fixation d'une garniture en tissu ou d'un galon sur un meuble ou un objet en bois.

Papier carbone et papier calque. Pour décalquer des motifs et les transférer sur le support à décorer.

Gants en caoutchouc. Indispensables pour l'application de produits salissants comme les teintures ou agressifs comme les décapants.

Masque de protection. Son emploi est fortement recommandé durant les travaux de ponçage, surtout si la poussière est susceptible de renfermer des particules métalliques.

Bâches de protection, journaux. Pour protéger les meubles de la poussière ou éviter que le sol ne soit souillé de taches de peinture ou de vernis.

Récipients de différentes tailles. Pots, bacs ou seaux dans lesquels verser la quantité de peinture ou de vernis nécessaire au travail.

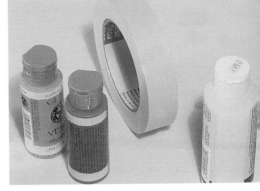

Les récipients métalliques sont préférables pour les produits à base d'huile.

Outils pour mélanger. Vieilles cuillères ou baguettes en bois sont parfaites pour mélanger peintures et autres produits.

Techniques

Les techniques proposées dans les pages suivantes sont d'une grande diversité. Elles donnent un aperçu des métamorphoses aussi surprenantes que décoratives que l'on peut faire subir à un meuble ou objet en bois blanc.

Certaines sont très anciennes, d'autres répondent à un goût plus actuel. À vous de choisir celle par laquelle vous souhaitez commencer.

Dans certains des projets présentés, l'objet traité est revêtu, en partie ou en totalité, d'autres matériaux, généralement nobles, qui ont pour but d'embellir les bois ordinaires.

Des procédés comme le placage ou la marqueterie, ou encore l'application de feuilles de métal précieux, aboutissent à des résultats d'un grand raffinement, dont l'effet est très décoratif.

Les collages – ou applications de motifs découpés à partir de reproduction de gravures, de photocopies, de timbres ou de chromos, etc. – constituent le parent pauvre de ce type de technique, si l'on considère la nature du matériau employé, le papier. Mais il peut donner de superbes résultats, dans la mesure où le décor est en harmonie avec le style que l'on souhaite donner à l'objet.

Certaines techniques font appel aux pochoirs ou aux tampons décoratifs. Ces outils sont très commodes quand il s'agit de reproduire un même motif sur la surface à décorer, ou si l'on ne se sent pas assez sûr de soi pour dessiner à main levée, ce qui est le cas de la plupart des décorateurs amateurs. D'où l'énorme succès que connaît aujourd'hui la peinture au pochoir ou au tampon.

Quoi qu'il en soit, aucun des projets proposés ne requiert des talents de dessinateur : dans tous les cas, nous avons eu recours au transfert de motifs à l'aide de papier calque et de papier carbone. Ce procédé a été employé tant pour les petits motifs décoratifs que dans les cas où le dessin occupe une place plus importante dans l'ornementation, comme dans la technique du dessin à l'encre ou au pyrograveur.

D'autres projets mettent en œuvre des techniques classiques d'imitation d'autres matériaux ou de bois plus nobles, dont celle de la porcelaine, du marbre ou encore de la ronce. D'autres encore font appel à d'anciennes techniques de peinture, comme la peinture à l'italienne, la peinture populaire d'Europe centrale ou la peinture au vinaigre.

Parallèlement à ces procédés, dont le but est d'améliorer l'esthétique de meubles ordinaires, une autre option décorative consiste à conférer au bois peint un aspect vieilli, voire défraîchi, à l'aide de patines à ombrer, de glacis étendus sur bois partiellement ciré ou de vernis à craqueler.

Enfin, vous pourrez aussi créer des effets décoratifs particuliers en utilisant des outils particuliers : c'est le cas du peignage, de la peinture à l'éponge, de la peinture projetée, de la peinture pochée, du lissage, ou des effets texturés à la plume d'oie ou à la feuille plastique froissée.

Ces finitions admettent de multiples variantes et diverses combinaisons de couleurs, et rien ne s'oppose à ce que chacun donne libre cours à son imagination et les expérimente à sa manière.

pas à pas

Petits meubles

Placage

1

pas à pas

LE PLACAGE PERMET DE CONFÉRER UN ASPECT NOBLE À UN BOIS ORDINAIRE. EXÉCUTÉ AVEC SOIN, IL DONNE DES RÉSULTATS D'UNE GRANDE AUTHENTICITÉ.

IL FAUT SAVOIR CEPENDANT QU'IL IMPLIQUE UN TRAVAIL TRÈS MINUTIEUX. LA SURFACE À TRAITER DOIT ÊTRE EN EXCELLENT ÉTAT, CAR TOUTE IMPERFECTION DU SUPPORT PEUT ENTRAÎNER UNE RUPTURE DE LA FEUILLE DE PLACAGE OU SA FISSURATION SOUS LA MOINDRE PRESSION.

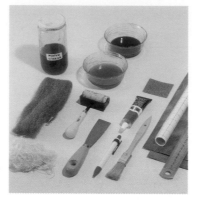

Papier abrasif, teinture de la tonalité du bubinga, brosse plate ordinaire de 25 mm en soies de porc, pinceau, mèche de coton, feuilles de bubinga, ruban adhésif transparent, règle, cutter, stylo à bille, colle contact, couteau à enduire, rouleau, huile de lin, vernis polyuréthane satiné, laine d'acier.

1. Aspect initial du cadre avant son traitement décoratif.

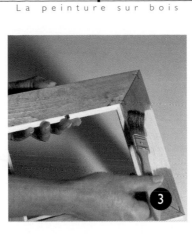

3. Sur l'envers et les côtés du cadre, passez à la brosse une teinture dans la tonalité du bubinga, sans toucher à la face avant, qui doit recevoir le bois de placage.

4. Tant que la teinture est encore humide, essuyez-en l'excédent avec un tampon de mèche de coton.

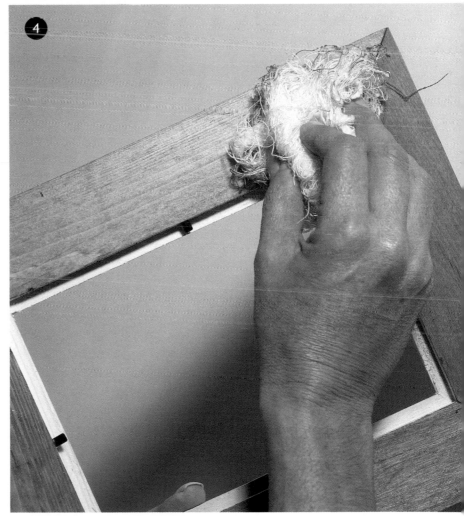

2. Commencez par poncer entièrement le cadre avec un morceau de papier abrasif à grain fin, puis dépoussiérez-le.

5. Puis appliquez à la brosse une seconde couche de teinture en retirant à nouveau le surplus avec la mèche de coton.

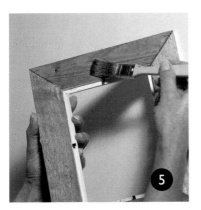

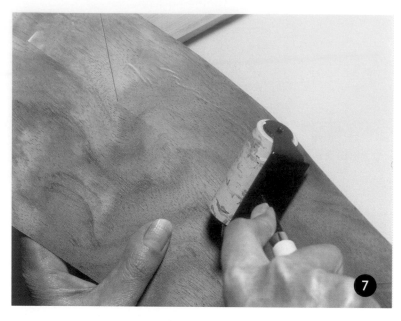

6. Collez l'adhésif transparent sur l'envers de l'un des montants du cadre pour en relever le contour au stylo, notamment le profil des coupes d'onglet à chaque extrémité.

7. Retirez l'adhésif et transférez-le sur la feuille de bubinga, en l'appliquant soigneusement au rouleau.

8. Découpez alors le bois de placage à l'aide d'un cutter et d'une règle.

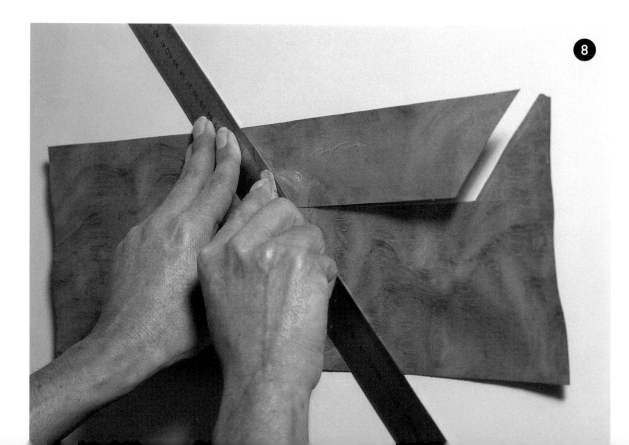

10. Quand la colle contact n'adhère plus au toucher, appliquez le bubinga sur le cadre à l'aide du rouleau, en retirant au fur et à mesure le ruban adhésif qui le recouvre.

9. Avec un couteau à enduire, encollez le bois de placage sur l'envers, ainsi que le montant correspondant du cadre.

11. Répétez le processus pour les trois autres montants du cadre. Quand le placage est terminé, imprégnez le bois d'huile de lin avec un tampon de mèche de coton.

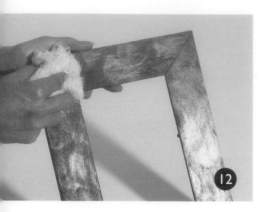

12. Puis retirez l'excédent d'huile de lin avec un tampon de mèche de coton propre.

13. Quand l'huile de lin est sèche, étendez à la brosse un vernis satiné sur l'ensemble du cadre.

14. Quand la première couche est sèche, frottez-la légèrement à la laine d'acier extra-fine. Posez deux autres couches en répétant ce processus.

15. Métamorphosé en objet raffiné, ce cadre mettra en valeur vos photographies préférées.

2

pas à pas

Collages

Gesso, papier abrasif fin, grande brosse à tableau, brosse à lisser, brosse plate ordinaire de 25 mm, gravure, ciseaux, colle blanche, chiffon, brosse à pochoir, pochoir, couleurs acryliques : crème, orange et vert foncé, médium acrylique, vernis polyuréthane.

L'ORNEMENTATION À BASE DE MOTIFS EN PAPIER DÉCOUPÉ ÉTAIT DÉJÀ CONSIDÉRÉE COMME UNE FORME D'ART AU XVIIᵉ SIÈCLE. TOUTEFOIS, L'EMPLOI DE VERNIS PROTECTEUR N'ÉTAIT PAS ENCORE D'USAGE À L'ÉPOQUE. DE NOS JOURS, GRÂCE À LA VARIÉTÉ DE VERNIS DISPONIBLES, CETTE TECHNIQUE DE COLLAGE CONNAÎT UN NOUVEL ENGOUEMENT.
LES RÉSULTATS OBTENUS SONT TRÈS INTÉRESSANTS SI LE STYLE ET LA TEINTE DU FOND SONT EN HARMONIE AVEC CEUX DES MOTIFS APPLIQUÉS. ASSOCIÉ À D'AUTRES TECHNIQUES DÉCORATIVES, LE COLLAGE PEUT PRODUIRE DE SUPERBES RÉSULTATS.

Aperçu latéral du dessus du plateau, qui nous permet d'en apprécier les motifs, textures et couleurs.

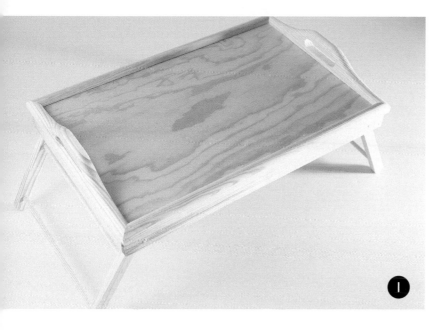

2. Enduisez de gesso le dessus du plateau avec la brosse à tableau.

3. Quand le gesso est sec, poncez entièrement le plateau et son support au papier abrasif.

1. Plateau en bois blanc, avant sa transformation.

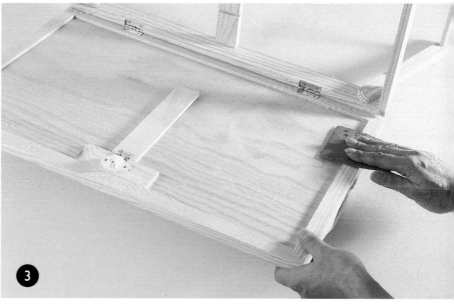

4. Puis étendez la peinture orange à la brosse à tableau sur tout le pourtour du support.

5. Appliquez ensuite, à la brosse à lisser, en mouvements circulaires, la couleur orange diluée au médium acrylique, de manière à créer un fond modulé semi-transparent.

6. Puis découpez la gravure qui servira de motif central.

7. Collez-la au centre du plateau à l'aide de colle blanche, en la lissant bien au chiffon pour chasser toutes les bulles d'air. Le fond peint en orange lui sert d'encadrement.

8. Pour dissimuler le contour de la gravure, habillez-le d'une frise de lierre réalisée au pochoir.

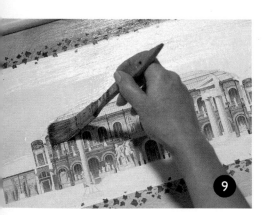

9. Puis étendez à la brosse plate sur l'ensemble du décor huit couches successives de vernis, en laissant sécher chaque couche et en la ponçant avant d'appliquer la suivante.

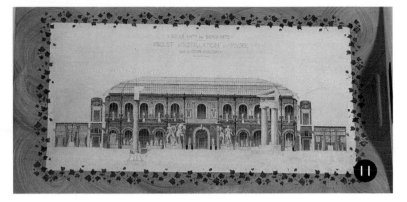

10. Aspect général du plateau mis en valeur par ce traitement décoratif.

11. Détail de la gravure choisie pour décorer le dessus du plateau.

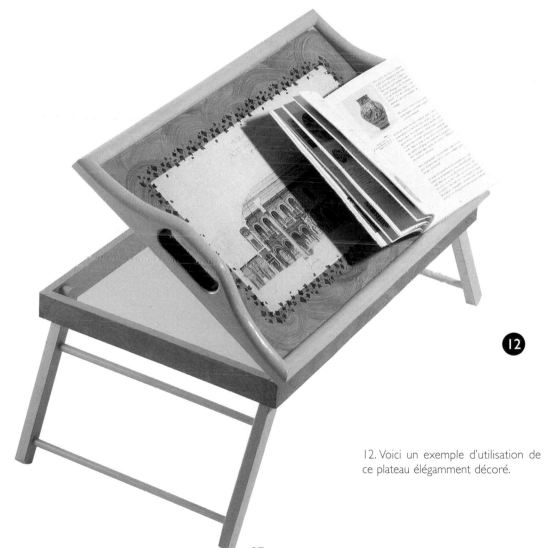

12. Voici un exemple d'utilisation de ce plateau élégamment décoré.

3
pas à pas

Marqueterie

Papier abrasif fin, teinture acajou foncé, brosse plate ordinaire de 25 mm en soies de porc, mèche de coton, ruban adhésif, papier carbone noir, papier calque, crayon, stylo à bille, cutter, feuilles de divers bois de placage, nacre blanche et verte, colle contact, rouleau, couteau à enduire, couleurs acryliques : blanc et vert, bâtonnet, vernis polyuréthane brillant.

LA MARQUETERIE RELÈVE DE L'ÉBÉNISTERIE, SA FINALITÉ ÉTANT D'EMBELLIR MEUBLES ET OBJETS À L'AIDE DE MOTIFS COMPOSÉS D'ÉLÉMENTS JUXTAPOSÉS DE COULEURS VARIÉES, DÉCOUPÉS DANS DES FEUILLES DE BOIS ET AUTRES MATÉRIAUX PRÉCIEUX. UN MEUBLE ORDINAIRE EN AGGLOMÉRÉ PEUT DONNER L'IMPRESSION D'ÊTRE EN BOIS MASSIF UNE FOIS REVÊTU DE BOIS DE PLACAGE. LA DÉLICATESSE DE CETTE TECHNIQUE LIMITE SON UTILISATION À L'ORNEMENTATION DE SURFACES PLANES, SA MISE EN ŒUVRE S'AVÉRANT EN EFFET IMPOSSIBLE SI LA PIÈCE PRÉSENTE DES RELIEFS COMPLEXES.

LES MATÉRIAUX EMPLOYÉS SONT LES MÊMES QUE DANS LE CAS D'UN SIMPLE PLACAGE. IL S'AGIT DE CHOISIR UN MOTIF QUI PUISSE ÊTRE DÉCOUPÉ FACILEMENT DANS LA FEUILLE DE PLACAGE. LES MOTIFS VÉGÉTAUX STYLISÉS SONT EN GÉNÉRAL TRÈS EMPLOYÉS.

Aspect de la boîte à couture décorée selon cette technique.

1. Vue générale de la boîte à ouvrage avec son tiroir et ses compartiments.

2. Commencez par poncer l'objet de façon à ce que l'ensemble de sa superficie soit bien lisse.

3. Puis, avec la brosse plate, teintez en acajou foncé la baguette plate entourant le couvercle et l'intérieur de la boîte à ouvrage.

4. Passez un tampon de mèche de coton sur la teinture encore fraîche pour retirer tout excédent de produit.

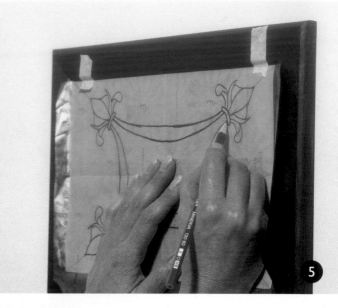

5. Reportez sur le couvercle le motif préalablement décalqué après avoir fixé les feuilles de papier calque et de papier carbone à l'aide de ruban adhésif pour éviter qu'elles ne se déplacent au cours du transfert. Procédez de la même façon pour reporter les motifs devant orner les côtés et la face avant de la boîte à ouvrage.

6. Puis, toujours à l'aide du calque, reportez sur une feuille de sycomore le contour de la partie centrale du motif du couvercle.

7. Découpez la feuille de sycomore au cutter en suivant ce contour.

8. Après avoir enduit de colle contact le motif découpé dans le bois de placage et la surface correspondante du couvercle, attendez qu'elle soit sèche au toucher puis appliquez au rouleau la feuille de sycomore en veillant à bien chasser les bulles d'air.

9. Peignez en vert les parties du motif destinées à recevoir les petits morceaux de nacre verte qui mettront ses reflets en valeur.

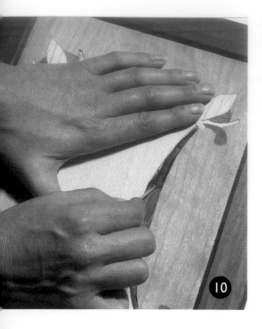

10. Avec un bâtonnet, pour travailler de façon plus précise, appliquez du vernis brillant sur ces parties peintes en vert.

11. Toujours à l'aide du bâtonnet, collez les morceaux de nacre sur le vernis encore frais.

12. Quand le vernis est sec, poncez la surface décorée.

13. Avec la brosse plate, procédez à l'application d'une première couche de vernis polyuréthane brillant sur l'ensemble de l'objet, puis poncez-le quand il est sec. Répétez trois ou quatre fois ce processus.

14. Détail de l'un des motifs latéraux de la boîte à ouvrage.

15. Aperçu général de la boîte à ouvrage entièrement décorée.

Peinture au peigne

4

pas à pas

IL S'AGIT ICI D'APPLIQUER À UN MEUBLE LA TECHNIQUE DE LA PEINTURE AU PEIGNE, GÉNÉRALEMENT EMPLOYÉE EN DÉCORATION MURALE. LES DENTS DES PEIGNES UTILISÉS EN PEINTURE DÉCORATIVE STRIENT EN TRACÉS RÉGULIERS LE VERNIS OU LE GLACIS ENCORE FRAIS POSÉ SUR UNE TEINTE DE FOND CONTRASTANTE. LES EFFETS OBTENUS DÉPENDENT DE LA TAILLE ET DE L'ÉCARTEMENT DES DENTS DU PEIGNE. LE PEIGNE EST PASSÉ EN GÉNÉRAL DANS LE SENS VERTICAL, MAIS RIEN N'EMPÊCHE DE L'UTILISER DANS TOUTE AUTRE DIRECTION. AVEC DE L'ENTRAÎNEMENT ET EN FAISANT PREUVE D'INITIATIVE, VOUS POUVEZ MODULER LE DESSIN DES STRIES, SOIT EN ASSOCIANT DIFFÉRENTS PEIGNES, SOIT EN CRÉANT DES MOTIFS PLUS OU MOINS GÉOMÉTRIQUES, SOIT ENCORE EN ENTRECROISANT LES TRACÉS POUR OBTENIR DES EFFETS MOIRÉS.

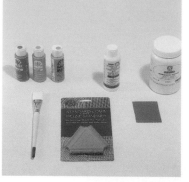

Papier abrasif, gesso, grande brosse à tableau en soies de porc, peigne, couleurs acryliques : jaune, vert, violet et rose, médium acrylique, vernis acrylique.

Cette photographie permet d'apprécier les motifs et couleurs ayant servi à décorer ce meuble au peigne.

44

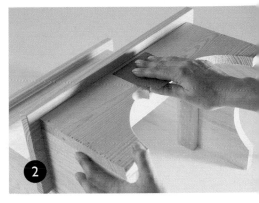

2. Le travail préliminaire consiste à poncer entièrement la surface du meuble avec du papier abrasif.

1. Aspect initial du marchepied avant tout traitement.

3. Enduisez-le de gesso à l'aide de la grande brosse à tableau, puis poncez après séchage de manière à disposer d'un support parfaitement lisse.

4. Peignez ensuite en vert et en violet les différentes parties du meuble.

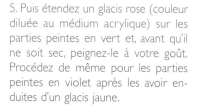

5. Puis étendez un glacis rose (couleur diluée au médium acrylique) sur les parties peintes en vert et, avant qu'il ne soit sec, peignez-le à votre goût. Procédez de même pour les parties peintes en violet après les avoir enduites d'un glacis jaune.

6. Après séchage, appliquez, à la grande brosse, sur l'ensemble du meuble trois couches de vernis en respectant le temps de séchage nécessaire entre chaque couche.

7. Détail de la peinture au peigne exécutée sur la marche inférieure.

8. Associé à des couleurs toniques, le décor au peigne donne à ce meuble un aspect moderne et pimpant.

5 Imitation de porcelaine

pas à pas

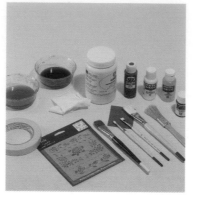

Papier abrasif, teinture chêne moyen, brosse plate ordinaire de 25 mm en soies de porc, gesso, grande brosse à tableau, pochoir, ruban adhésif, brosse à pochoir, couleurs acryliques : bleu marine et bleu clair, base pour vernis à craqueler, vernis à craqueler, brosse en « oreille de bœuf », bitume de Judée, chiffon, vernis polyuréthane.

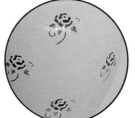

EXÉCUTER UN DÉCOR PEINT IMITANT LA PORCELAINE SUR UN OBJET EN BOIS DEMANDE BEAUCOUP DE MINUTIE. LA PREMIÈRE ÉTAPE DU TRAVAIL EST ESSENTIELLE : IL S'AGIT D'ENDUIRE LE BOIS DU NOMBRE DE COUCHES DE GESSO NÉCESSAIRES POUR REPRODUIRE LA TEXTURE FINE ET LISSE DE LA PORCELAINE. CETTE SURFACE EST ENSUITE ORNÉE DE MOTIFS AVANT D'ÊTRE PATINÉE AU VERNIS À CRAQUELER, CE QUI LA FAIT PARAÎTRE ENCORE PLUS AUTHENTIQUE. GRÂCE À CETTE TECHNIQUE, NOUS AVONS RÉUSSI À HABILLER DE FAÇON ÉLÉGANTE UN PIED DE LAMPE TRÈS ORDINAIRE.

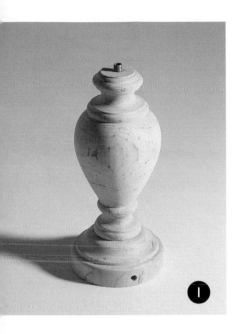

1. Aspect du pied de lampe en bois brut.

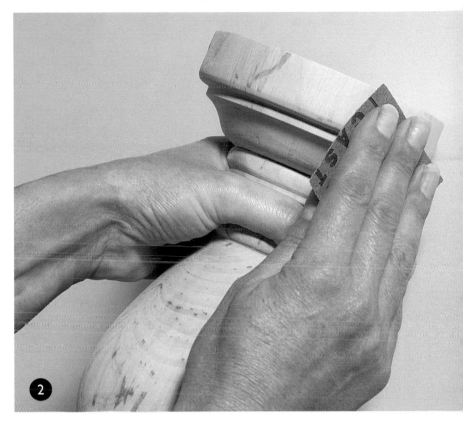

2. La première opération consiste à poncer entièrement l'objet avec du papier abrasif pour en lisser la superficie et la préparer au traitement décoratif prévu.

3. Passez ensuite à la brosse plate une teinture chêne moyen sur l'ensemble du pied de lampe, à l'exception de la partie centrale.

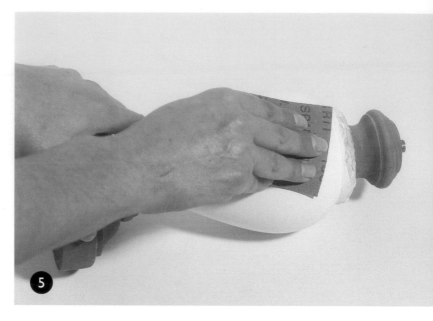

4. Avec la grande brosse à tableau, enduisez de gesso la partie centrale, qui n'a pas reçu de teinture, et laissez sécher.

5. Au papier abrasif, poncez cette première couche de gesso et dépoussiérez bien.

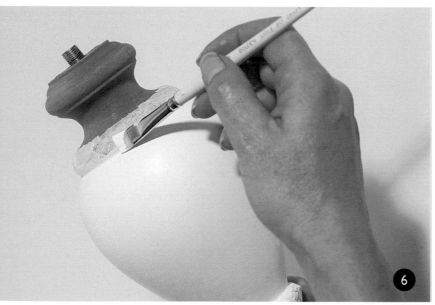

6. Appliquez une seconde couche de gesso sur la même zone, et poncez-la à nouveau quand elle est sèche. Répétez deux fois ce processus, jusqu'à obtention d'une surface parfaitement lisse et uniforme.

7. À l'aide de la brosse à pochoir, décorez ensuite le gesso d'un motif peint au pochoir dans deux tons de bleu.

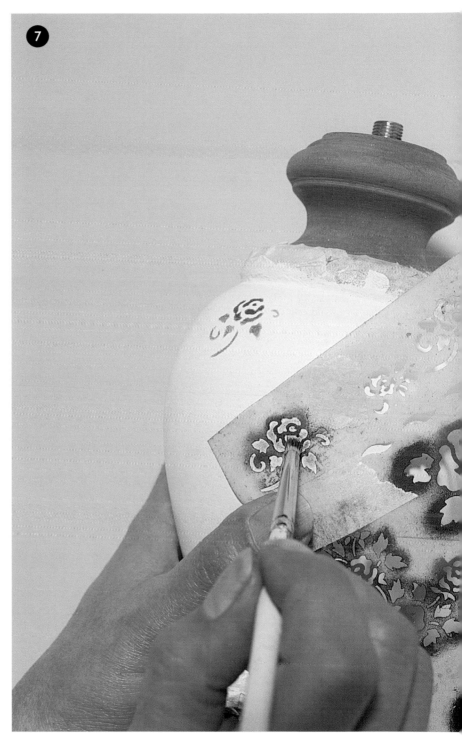

8. Attendez que les motifs soient bien secs et étendez alors la base du vernis à craqueler avec la grande brosse à tableau.

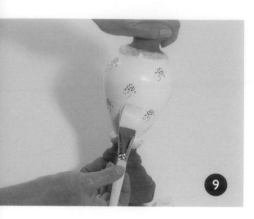

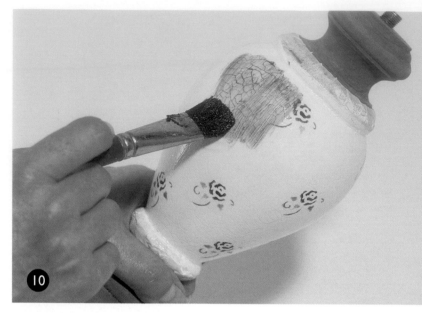

9. Appliquez ensuite le vernis à craqueler qui, en réagissant avec la base, produit un effet craquelé au bout d'une heure environ.

10. Quand les craquelures se sont formées, enduisez-les de bitume de Judée avec la brosse en « oreille de bœuf ».

11. Essuyez la cire à patiner au chiffon doux avant qu'elle ne soit sèche pour en retirer l'excédent.

12. Pour finir, appliquez une couche de vernis polyuréthane sur l'ensemble du pied de lampe, y compris les parties inférieures et supérieures déjà teintes. Quand elle est sèche, passez une seconde couche.

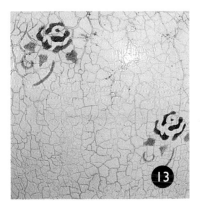

13. Détail de la peinture craquelée et patinée. Le résultat est surprenant, le pied de lampe semble être en véritable porcelaine.

14. Coiffé de son abat-jour, ce pied de lampe ainsi décoré présente un aspect ancien très authentique.

Vernis teinté

Papier abrasif, ruban de masquage, vernis acryliques teintés, éponge, brosses, brosses à tableau plates, vernis acrylique incolore.

pas à pas

L'AVANTAGE DU VERNIS EST QU'IL DÉCORE ET PROTÈGE EN MÊME TEMPS. LES VERNIS TRADITIONNELS SONT À L'HUILE ET ACQUIÈRENT AVEC LE TEMPS UNE CHAUDE TONALITÉ DORÉE. LES VERNIS MODERNES SONT À L'EAU : ILS SÈCHENT RAPIDEMENT ET LES OUTILS SONT TRÈS FACILES À NETTOYER. LE CHOIX D'UN TYPE DE VERNIS — À L'HUILE OU À L'EAU, BRILLANT OU SATINÉ — EST AFFAIRE DE GOÛT PERSONNEL. BIEN QUE L'ON TROUVE DES VERNIS DÉJÀ TEINTÉS, ON PEUT AUSSI TEINTER UN VERNIS INCOLORE AVEC DES PIGMENTS EN POUDRE.

Plateaux et leur support, décorés au vernis teinté.

1. Pour commencer, poncez tous les éléments composant cet ensemble et dépoussiérez-les avec soin.

2. Après avoir choisi un motif décoratif géométrique simple, délimitez-en les contours avec du ruban de masquage pour préserver les parties qui doivent conserver une teinte naturelle.

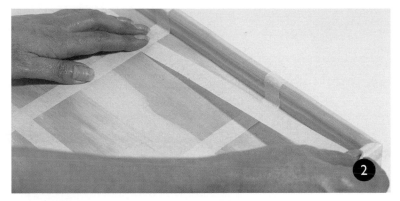

3. Avec la brosse à tableau, appliquez les vernis acryliques de différentes couleurs sur l'un des plateaux.

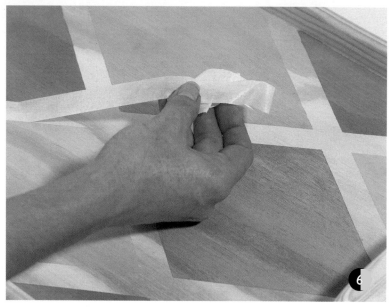

4. Avant qu'ils ne soient secs, essuyez-les à l'éponge pour retirer tout excédent de vernis.

5. Attendez que les surfaces vernies soient bien sèches pour retirer les bandes de ruban de masquage.

6. Utilisez à nouveau le ruban de masquage pour protéger cette fois les contours des parties déjà peintes et pouvoir ainsi vernir en toute tranquillité les poignées et les montants latéraux des plateaux.

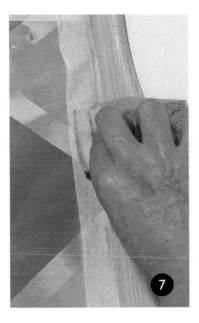

8. Quand les couleurs sont sèches, re couvrez-les à la brosse à tableau d'une couche de vernis acrylique incolore pour qu'elles ne jaunissent pas avec le temps.

9. Puis, lorsque cette couche de vernis incolore est sèche, recouvrez la sur-face d'une couche de vernis teinté.

7. À l'éponge, retirez à nouveau l'excédent de vernis pendant qu'il est encore frais.

10. Les plateaux décorés vus sous dif férents angles.

7

Décor à la feuille d'argent

pas à pas

CETTE TECHNIQUE DÉCORATIVE PERMET DE SOULIGNER AVEC ÉLÉGANCE LA FINESSE DES ORNEMENTS SCULPTÉS SUR CERTAINS OBJETS EN BOIS. LA FEUILLE D'ARGENT EN ÉPOUSE ÉTROITEMENT LE RELIEF ET LES MET EN VALEUR EN DONNANT À L'OBJET UN ASPECT RAFFINÉ. L'ASSOCIATION DU BOIS ET DE L'ARGENT CONFÈRE EN OUTRE AU COFFRET AINSI DÉCORÉ L'APPARENCE D'UN OBJET ANCIEN.

Papier abrasif à grain fin, teinture acajou clair, brosse plate ordinaire de 25 mm en soies de porc, pinceau fin en soies synthétiques, petite brosse à tableau en soies synthétiques, mèche de coton, feuilles d'argent à repousser, colle contact, trois types de repoussoirs, encre de Chine, chiffon, vernis pour argent, vernis polyuréthane satiné.

Aspect du coffret en acajou avant son traitement décoratif.

1. Commencez par poncer l'ensemble du coffret au papier abrasif fin, puis dépoussiérez-le bien.

2. Pour accentuer la couleur du bois, appliquez à la brosse plate une teinture acajou clair sur l'ensemble de l'objet.

3. Avant que la teinture ne sèche, essuyez-en l'excédent au tampon de mèche de coton.

4. Quand la teinture est sèche, recouvrez tout le coffret d'une couche de vernis polyuréthane satiné à l'aide de la brosse plate.

5. Attendez que le vernis soit sec, puis, au pinceau fin, enduisez de colle contact les parties devant être recouvertes à la feuille d'argent.

6. Appliquez les feuilles d'argent au repoussoir sur les motifs sculptés de manière à ce qu'elles en épousent étroitement le relief.

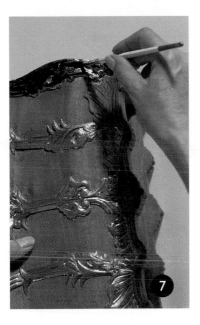

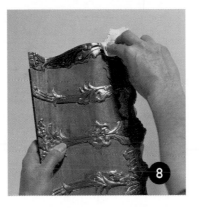

8. Sans attendre qu'elle sèche, essuyez-la avec un chiffon de façon à ce qu'elle ne souligne que les parties creuses du relief.

9. Pour éviter que l'argent ne s'oxyde, protégez-le avec une couche de vernis spécial pour argent.

7. Pour donner à l'argent un aspect vieilli, enduisez-le d'une couche d'encre de Chine avec une petite brosse à tableau.

10. Revêtu d'une telle parure, le coffret s'est transformé en un superbe objet décoratif.

Pyrogravure

8

pas à pas

BIEN QU'APPARUE AU XIXe SIÈCLE, LA TECHNIQUE DE LA PYROGRAVURE N'A CONNU DE VÉRITABLE ESSOR QU'AU SIÈCLE DERNIER, À PARTIR DU MOMENT OÙ L'APPAREIL À PYROGRAVER A ÉTÉ FABRIQUÉ INDUSTRIELLEMENT ET COMMERCIALISÉ À GRANDE ÉCHELLE. ELLE SERT ESSENTIELLE-MENT À DÉCORER LE BOIS, MAIS AUSSI LE CUIR. IL EST CONSEILLÉ DE PROCÉDER À DES ESSAIS PRÉALABLES SUR DES CHUTES DE BOIS POUR CONTRÔLER LA RÉGULA-RITÉ ET L'ÉPAISSEUR DU TRAIT.

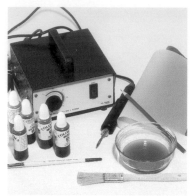

Papier abrasif fin, papier carbone noir, papier calque, crayon, ruban adhésif, appareil à pyrograver, petite brosse à tableau en soies de porc, brosse plate ordinaire de 25 mm en soies synthé-tiques, couleurs acryliques : jaune, bleu foncé, vert terracotta, rouge indien et brun doré, vernis polyuréthane.

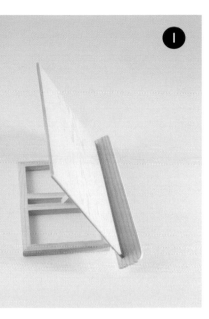

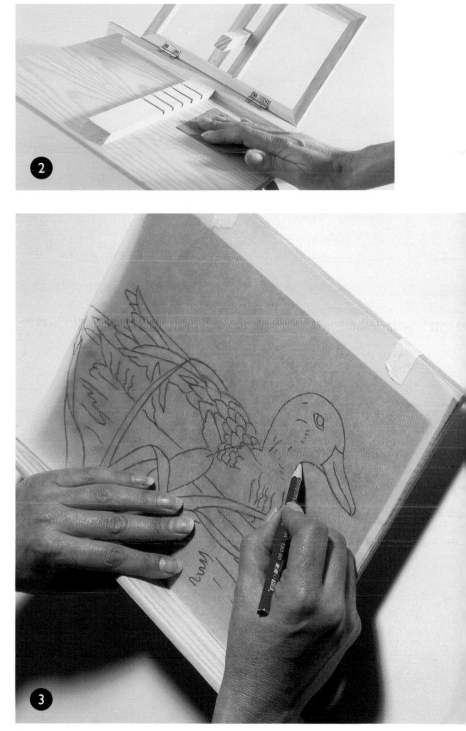

1. Lutrin en bois brut, avant sa décoration.

2. La première étape consiste à poncer finement l'ensemble de l'objet avec du papier abrasif fin.

3. Après avoir reproduit un motif sur une feuille de papier calque, transférez-le sur le lutrin à l'aide de papier carbone. Pour éviter que les feuilles superposées ne bougent, fixez-les avec du ruban adhésif.

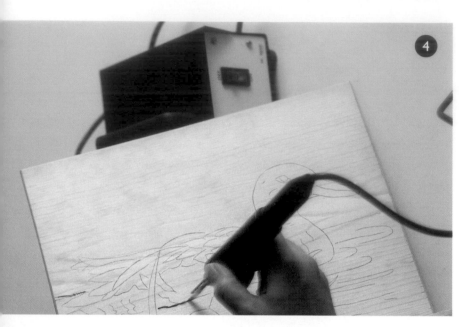

4. Puis suivez les lignes du motif à la pointe à pyrograver, en veillant à tracer des traits réguliers.

5. Avec la petite brosse à tableau, peignez ce motif à l'aide de couleurs transparentes (couleurs acryliques ou couleurs à l'aquarelle) qui ne masqueront pas les veines du bois. Libre à vous de choisir une gamme de couleurs à votre goût.

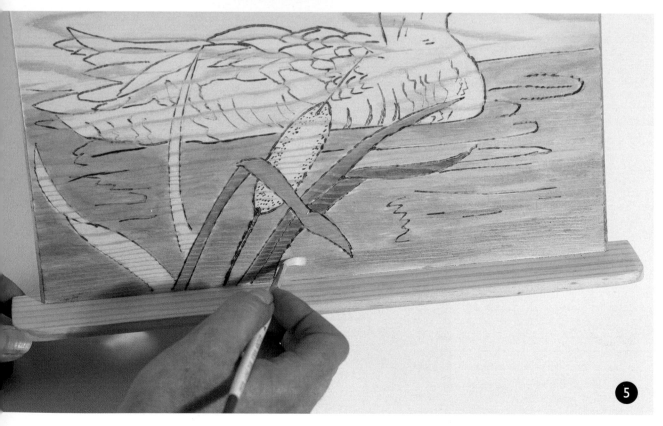

6. Une fois que la peinture est sèche, passez à la brosse plate une couche de vernis polyuréthane sur l'ensemble du lutrin et laissez sécher.

7. Aspect final du lutrin décoré et prêt à remplir sa fonction.

9
pas à pas

Faux marbre à l'alcool

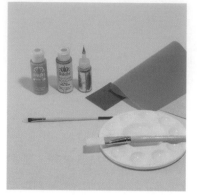

Papier abrasif fin, gesso, palette en plastique, grande brosse à tableau, petite brosse à tableau, couleurs acryliques : saumon et gris, alcool à brûler, papier calque, papier carbone orange, vernis acrylique.

CERTAINES VARIÉTÉS DE MARBRES PRÉSENTENT UN ASPECT JASPÉ PARFOIS DÉPOURVU DE VEINURES. LE PROCÉDÉ DU FAUX MARBRE À L'ALCOOL, QUI PERMET DE LES IMITER, S'ADAPTE PARTICULIÈREMENT BIEN AUX OBJETS DE PETITE TAILLE AYANT BESOIN D'ÊTRE MIS EN VALEUR PAR UNE FINITION ORIGINALE. IL CONVIENT AUSSI TRÈS BIEN AU DÉCOR DE SURFACES HORIZONTALES. ASSOCIÉ À DES GLACIS MONOCHROMES, CE PROCÉDÉ PERMET D'OBTENIR DE SUPERBES EFFETS TEXTURÉS.

Portemanteau décoré selon la technique du faux marbre à l'alcool qui, en dépit de sa simplicité, donne des résultats spectaculaires.

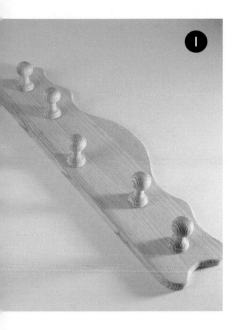

1. Aspect initial du portemanteau en bois blanc avant tout traitement.

2. Avec du papier abrasif fin, commencez par poncer le bois pour en affiner la surface.

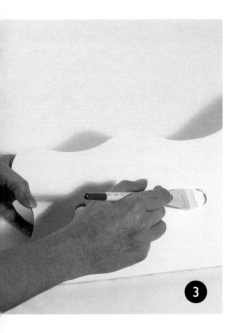

3. Appliquez ensuite, avec la grande brosse à tableau, une couche de gesso sur l'ensemble du portemanteau.

4. Quand le gesso est sec, poncez-le pour obtenir une surface parfaitement lisse.

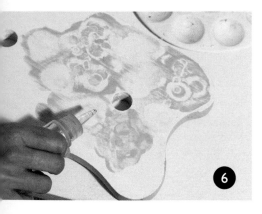

5. Sélectionnez les teintes qui vont vous servir à imiter le marbre. Nous avons choisi un saumon et un gris. Ces couleurs étendues d'eau sont posées sous forme de taches à l'aide de la petite brosse à tableau. Appliquez d'abord une couleur, puis l'autre, sans jamais les superposer.

6. Avant que les taches de couleur ne soient sèches, déposez-y quelques gouttes d'alcool qui formeront ainsi des auréoles plus claires.

7. Peignez ensuite en saumon le chant du portemanteau et les boutons des patères.

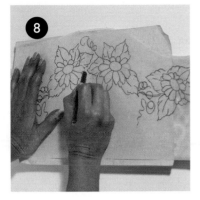

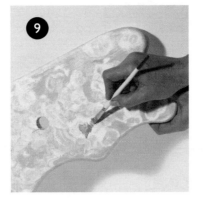

8. Sur la partie supérieure du porte-manteau, transférez ensuite au papier carbone les contours d'un motif floral préalablement décalqué.

9. Peignez ce motif à la petite brosse à tableau. Ce travail terminé, laissez sécher la peinture.

10. À l'aide de la grande brosse à tableau, recouvrez alors l'ensemble du portemanteau d'une couche de vernis acrylique.

11. La décoration du portemanteau est terminée. Le fond en faux marbre réalisé selon cette technique est d'une grande délicatesse.

10

pas à pas

Peinture au tampon

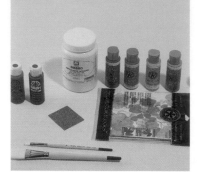

Papier abrasif fin, gesso, grande brosse à tableau, pinceau fin, petite brosse à tableau, tampons décoratifs, couleurs acryliques : rouge, vert, blanc, médium acrylique, vernis acrylique.

C'EST L'UNE DES TECHNIQUES DÉCO-RATIVES LES PLUS ÉLÉMENTAIRES QUI SOIENT. ELLE CONSISTE À IMPRIMER DES MOTIFS À L'AIDE DE TAMPONS DÉCORATIFS ENDUITS DE N'IMPORTE QUEL TYPE DE PEINTURE. VOUS POUVEZ UTILISER DES TAMPONS PRÊTS À L'EMPLOI, DISPONIBLES DANS LE COMMERCE, OU N'IMPORTE QUEL OBJET EN MOUSSE OU EN CAOUTCHOUC QUE VOUS DÉCOUPEREZ À VOTRE GUISE. CE PROCÉDÉ EST APPLICABLE À N'IMPORTE QUEL SUPPORT SUFFISAMMENT LISSE ET DE NATURE À ABSORBER LA PEINTURE DE FAÇON UNIFORME.

Support de fer à repasser décoré au tampon selon la technique expliquée ci-après.

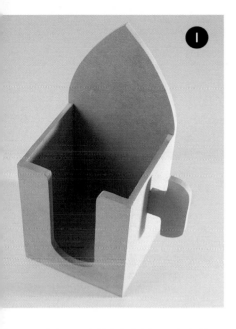

1. Aspect initial de l'objet en bois blanc que nous nous proposons de décorer.

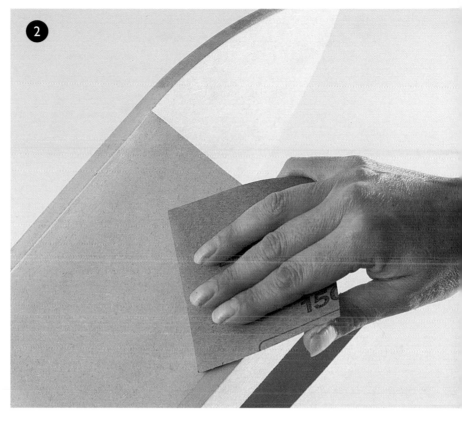

2. Poncez tout d'abord sa surface au papier abrasif fin pour l'affiner.

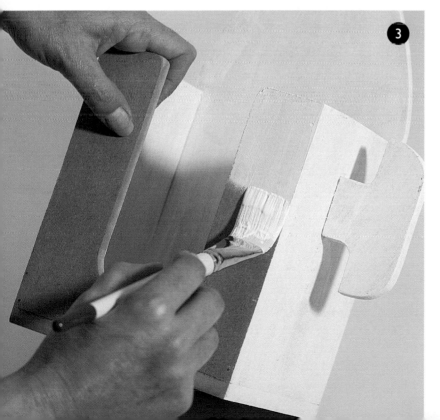

3. Puis, avec la grande brosse à tableau, enduisez l'objet d'une couche de gesso.

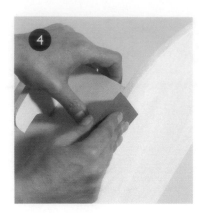

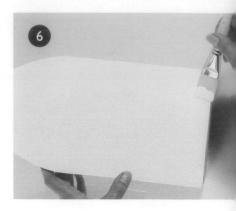

4. Quand le gesso est sec, poncez-le pour obtenir une surface parfaitement lisse.

5. Dépoussiérez l'objet, puis peignez-en l'intérieur en vert.

6. Quand la peinture verte est sèche, peignez la surface extérieure en blanc à l'aide de la grande brosse à tableau.

7. Décorez l'objet avec des tampons enduits de couleurs acryliques rouge et verte étendues de médium acrylique pour produire des effets de transparence par superposition. Puis dessinez les tiges des fleurs au pinceau fin.

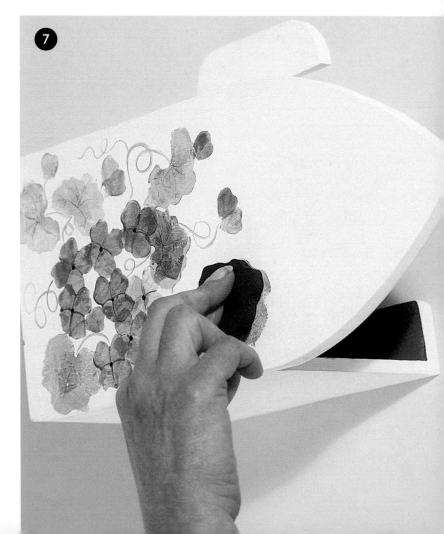

8. Avec la petite brosse à tableau, peignez en rouge les chants supérieurs et en vert les chants des poignées.

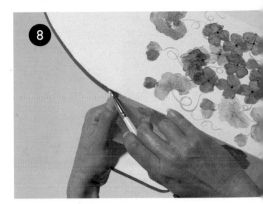

9. Quand la peinture est sèche, et à l'aide de la grande brosse à tableau, recouvrez l'ensemble de l'objet de deux couches de vernis acrylique, en respectant le temps de séchage nécessaire entre chaque couche.

10. Aspect final du support joliment décoré.

11
pas à pas

Peinture naïve au pochoir

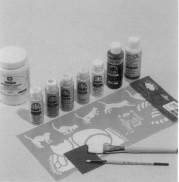

LA PEINTURE AU POCHOIR FAIT PARTIE DES TECHNIQUES LES PLUS FACILES À UTILISER POUR DÉCORER LE BOIS, BIEN QUE CERTAINS EFFETS ASSEZ RECHERCHÉS NÉCESSITENT UNE ADRESSE PARTICULIÈRE. N'ESSAYEZ PAS DE CRÉER DES DÉCORS TROP COMPLEXES, SURTOUT SI LA SUPERFICIE À TRAITER EST ASSEZ ÉTENDUE. LES POCHOIRS UTILISÉS SONT LES MÊMES QUE CEUX EMPLOYÉS POUR LA DÉCORATION DES MURS. LES MAGASINS SPÉCIALISÉS OFFRENT UN LARGE ÉVENTAIL DE POCHOIRS PRÊTS À L'EMPLOI, MAIS VOUS POUVEZ AUSSI DÉCOUPER VOS POCHOIRS DANS DU CARTON À POCHOIR OU DU FILM ACÉTATE. LES FONDS MODULÉS OU FINEMENT MOUCHETÉS CONSTITUENT D'EXCELLENTES BASES POUR LES POCHOIRS, QUI COMPLÈTENT LEUR EFFET DÉCORATIF.

Papier abrasif fin, gesso, grande brosse à tableau, brosse à pochoir, pochoir, couleurs acryliques : jaune, bleu, rose, vert, noir et blanc, vernis acrylique.

74

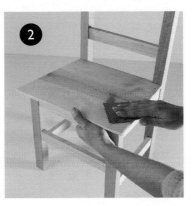

2. Commencez par poncer sa surface au papier abrasif fin, puis dépoussiérez-la soigneusement.

1. Voici la chaise que nous nous proposons de décorer à l'aide de pochoirs.

3. Enduisez-la ensuite de gesso avec la grande brosse à tableau.

4. Quand le gesso est sec, poncez à nouveau la chaise de manière à obtenir une surface bien lisse.

5. Dépoussiérez-la puis avec la grande brosse à tableau, peignez-la dans une gamme de couleurs unies.

6. Avec la brosse à pochoir, décorez de pois blancs les parties peintes en noir en les répartissant aussi régulièrement que possible.

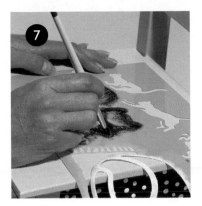

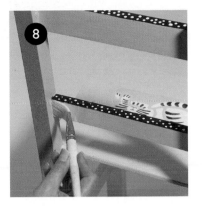

7. À l'aide d'un pochoir, peignez le motif du chat sur l'assise de la chaise.

8. Quand la peinture est sèche, à l'aide de la grande brosse à tableau, recouvrez entièrement la chaise de deux couches de vernis acrylique.

9. Détail du chat peint au pochoir.

10. Cette technique décorative a permis de donner à cette chaise d'enfant un style naïf qui lui convient parfaitement.

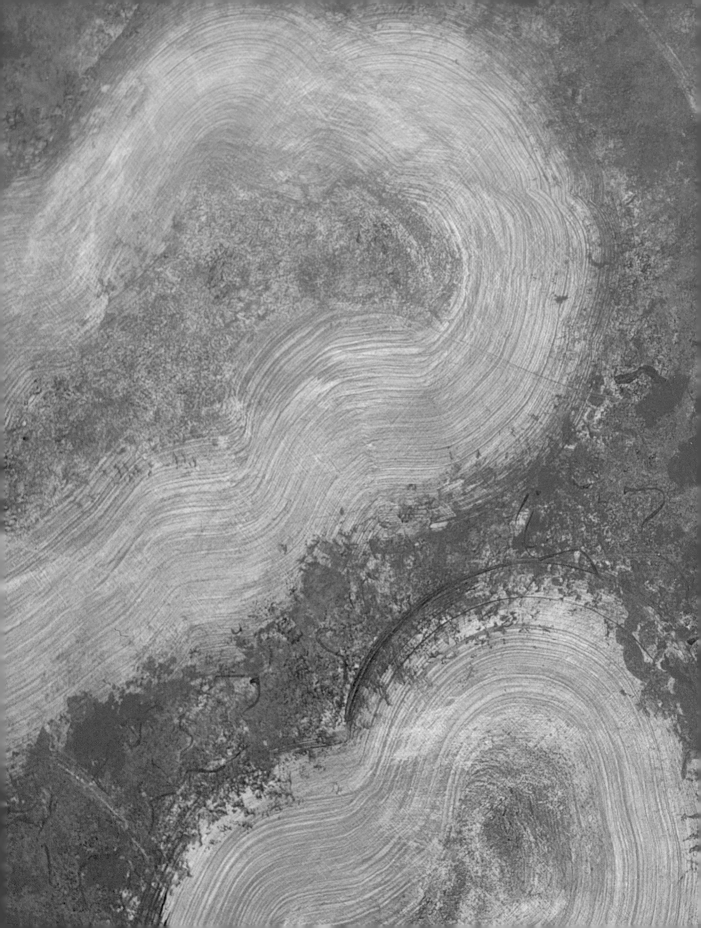

pas à pas

Meubles de taille moyenne

12
pas à pas

Imitation écaille de tortue et dorure

Papier abrasif, gesso, feuilles d'or, mixtion à dorer, bitume de Judée, couleurs à l'huile : terre de Sienne, brun Van Dyck et terre d'ombre brûlée, peinture acrylique dorée, rouge anglais, grande brosse à tableau, brosses à tableau de différentes tailles, brosse à adoucir, blaireau à estomper, brosse en « oreille de bœuf », brosse plate ordinaire de 50 mm, vernis à la gomme-laque, vernis acrylique brillant, essence de térébenthine.

LE MOTIF ÉCAILLE DE TORTUE SE COMPOSE D'UNE SÉRIE DE COUPS DE BROSSES EN DIAGONALE, DE LONGUEUR ET LARGEUR VARIABLES, SUR DIVERSES COULEURS DE FOND – BLANC, CANNELLE OU OR. POUR OBTENIR DE BONS RÉSULTATS, IL FAUT TRAVAILLER SUR UNE SURFACE RELATIVEMENT PLANE. L'ÉCAILLE DE TORTUE, FAUSSE OU VÉRITABLE, EST ASSEZ SOUVENT EMPLOYÉE POUR ORNER LES CADRES ET PRÉSENTE UNE LARGE GAMME DE TONALITÉS, DE LA PLUS SOMBRE À LA PLUS CLAIRE.

1. Voici l'aspect présenté par le cadre en bois sculpté avant sa métamorphose.

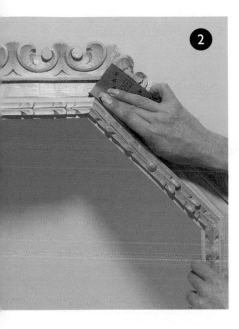

2. Poncez soigneusement le cadre au papier abrasif fin, puis dépoussiérez-le bien.

3. Enduisez-le entièrement de gesso avec la grande brosse à tableau.

4. Quand le gesso est sec, poncez à nouveau le cadre pour obtenir une surface bien lisse.

5. Puis appliquez une nouvelle couche de gesso et poncez-la.

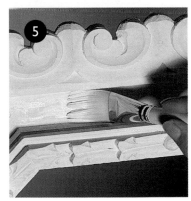

6. Avec la brosse à tableau, peignez tout le cadre en rouge anglais.

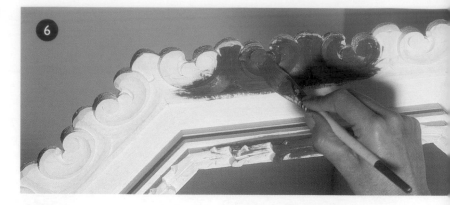

7. Appliquez sur ce fond une mixtion à dorer qui va jouer le rôle d'adhésif pour la pose ultérieure des feuilles d'or.

8. Posez les feuilles d'or sur le cadre avec une brosse à adoucir.

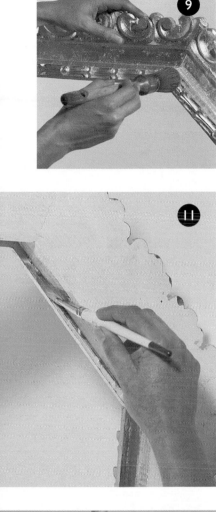

9. Passez la dorure au blaireau à estomper pour en éliminer les fragments superficiels.

10. Puis recouvrez la dorure d'une couche de vernis à la gomme-laque pour la protéger.

11. Peignez en doré la face arrière et les bords du cadre.

12. Puis, au blaireau à estomper, appliquez un brun Van Dyck sur la partie centrale de la moulure en petites touches séparées, pour imiter l'écaille de tortue.

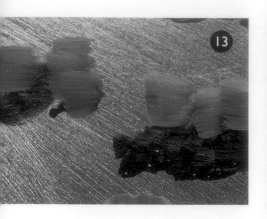

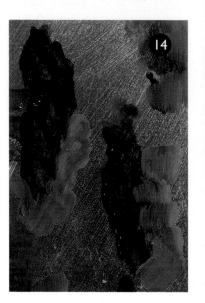

13. Sans attendre que cette première couleur soit sèche, ajoutez des touches Terre de Sienne sans superposer les deux teintes.

14. Puis appliquez la terre d'ombre brûlée.

15. Avant que les couleurs ne sèchent, unifiez-les avec une brosse plate ordinaire.

16. Avec un pinceau imprégné de brun Van Dyck dilué à l'essence de térébenthine, projetez de fines gouttelettes sur le cadre. Puis laissez sécher pendant plusieurs jours.

17. Soulignez le contour de la finition écaille de tortue en traçant de chaque côté un fin trait noir.

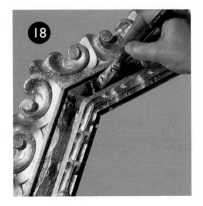

18. Quand la peinture est sèche, recouvrez, avec la brosse en « oreille de bœuf » l'imitation écaille de tortue de trois couches de vernis acrylique brillant, en respectant le temps de séchage.

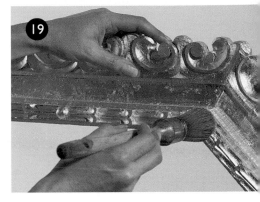

19. Au blaireau à estomper, patinez toutes les parties dorées du cadre au bitume de Judée, pour le vieillir.

20. Aspect final du cadre dans tout son éclat.

20a. Détail d'une partie du cadre permettant d'apprécier la technique employée.

13
pas à pas

Faux marbre de Saint-Rémy

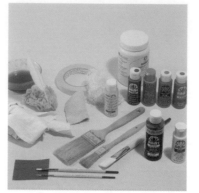

Papier abrasif, gesso, grande brosse à tableau, brosse à lisser en soies de porc, pinceau fin, petites brosses à tableau en soies de porc, couleurs acryliques : noir, blanc, brun sombre, ocre jaune, caramel, ocre rouge, gris clair, chiffons, mèche de coton, éponge naturelle, ruban de masquage, plume d'oie, vernis polyuréthane satiné.

CETTE TECHNIQUE A POUR BUT DE REPRODUIRE L'ASPECT D'UN MATÉRIAU DÉTERMINÉ. SUIVANT LE TYPE DE MARBRE, LE PROCESSUS VARIE PLUS OU MOINS. LE FAUX MARBRE S'EMPLOIE POUR LA DÉCORATION D'ÉLÉMENTS ARCHITECTURAUX, DE PANNEAUX MURAUX, DE SOLS, DE COLONNES, MAIS PEUT AUSSI SERVIR À ORNER DE PETITS OBJETS – CADRES, COFFRETS OU PIEDS DE LAMPE, PAR EXEMPLE. LE TRAVAIL ACHEVÉ DOIT ÊTRE PROTÉGÉ PAR UN VERNIS BRILLANT OU SATINÉ QUI EN REHAUSSE LA BEAUTÉ.

L'imitation du marbre sur cette sellette est d'une surprenante authenticité.

1. Sellette en bois blanc avant l'exécution de la décoration imitant le marbre de Saint-Rémy.

2. Pour commencer, poncez toute la surface du meuble avec du papier abrasif.

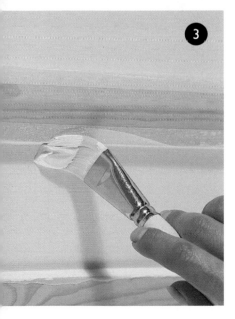

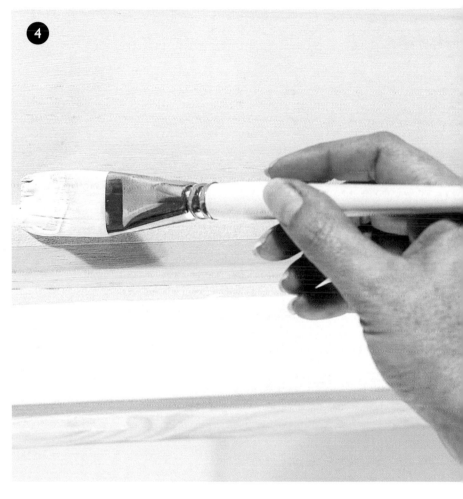

3. Appliquez ensuite une couche de gesso à l'aide de la grande brosse à tableau sur les parties qui seront décorées en faux marbre.

4. Quand le gesso est sec, poncez-le, puis peignez-le en gris clair.

5. Avec un chiffon doux, étendez de manière irrégulière la couleur ocre sur toute la surface de la sellette de façon à créer un fond modulé.

6. Puis, de manière toujours irrégulière, appliquez la couleur brune à l'éponge sur ce fond ocre jaune.

7. Avec une brosse à lisser imprégnée d'ocre, de blanc et de noir, tracez les veinures caractéristiques du marbre de Saint-Rémy.

8. Puis appliquez à l'éponge la couleur ocre rouge sur le fond déjà peint.

9. Enrichissez la texture de touches d'ocre jaune réparties de manière irrégulière.

10. Complétez l'effet en appliquant quelques touches de brun sombre.

11. Appliquez à nouveau de l'ocre rouge sur les zones que vous souhaitez mettre en relief. Toutes ces applications à l'éponge sont à exécuter rapidement, avant que la peinture ne sèche.

12. Reproduisez en brun les veines du marbre au pinceau fin. Efforcez-vous de varier le dessin de chaque veine pour obtenir un effet plus authentique.

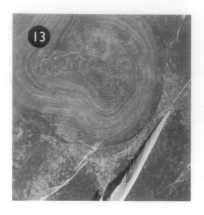

13. Avec la plume d'oie imprégnée de couleur blanche, tracez d'autres veines.

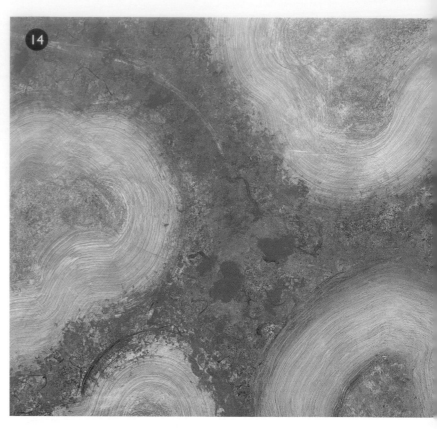

14. Vue détaillée du plateau supérieur de la sellette une fois la peinture faux marbre appliquée.

15. Avec une petite brosse à tableau, peignez les moulures de la sellette en gris clair.

16. Quand la peinture est sèche, recouvrez-la d'un glacis blanc à l'aide de la même brosse.

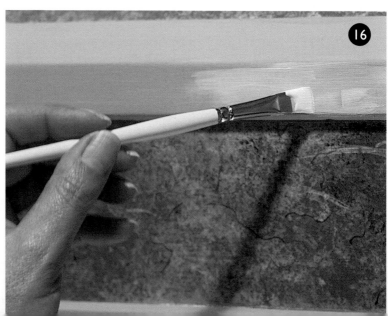

17. Sans attendre que le glacis soit sec, essuyez-en l'excédent au chiffon doux. Puis passez deux couches de vernis polyuréthane satiné sur l'ensemble du meuble en respectant le temps de séchage recommandé entre chaque couche.

18. Détail de la base de la sellette.

19. Aspect présenté par la sellette en fin de traitement. La ressemblance avec le marbre est surprenante.

Peinture à l'éponge

14
pas à pas

LA PEINTURE À L'ÉPONGE REMPORTE
BEAUCOUP DE SUCCÈS AUPRÈS DES
DÉCORATEURS AMATEURS, NON SEULE-
MENT POUR SA FACILITÉ D'EXÉCUTION,
MAIS AUSSI SON CÔTÉ INFORMEL,
CAR ELLE SE PRÊTE BIEN À LA MISE
EN VALEUR DE MEUBLES ET OBJETS
DANS DES DÉCORS MODERNES ET DÉ-
CONTRACTÉS OU DANS LES CHAMBRES
D'ENFANTS. ELLE SE CARACTÉRISE PAR
UN EFFET DE DISPERSION DE LA COU-
LEUR QUI DONNE À L'OBJET TRAITÉ UN
ASPECT ARTISANAL ET ORIGINAL. L'ÉLÉ-
MENT ESSENTIEL À CETTE TECHNIQUE
EST L'ÉPONGE NATURELLE, QUI PERMET
D'APPLIQUER EN COUCHE DIFFUSE UNE
PEINTURE SUR UNE SOUS-COUCHE
SÈCHE, EN JOUANT SUR LES CONTRAS-
TES DE COULEURS, MAIS AUSSI DE
TEXTURE, QUE CELLE-CI SOIT MATE OU
SATINÉE.

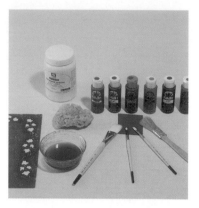

Gesso, papier abrasif, éponge naturelle,
pochoir à motif de lierre, petite brosse
à pochoir, grande brosse à tableau,
petite brosse à tableau, brosse plate à
tableau de 25 mm, couleurs acryliques : rouge brique, rouge, vert foncé,
vert clair, blanc, gris foncé, brun et brun
rougeâtre, vanille clair, orangé, vernis
acrylique satiné.

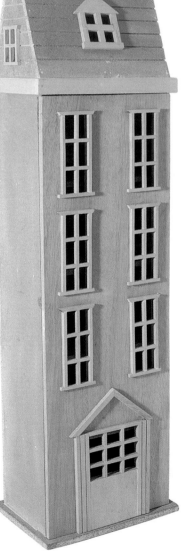

I

1. Aspect du meuble avant
sa décoration.

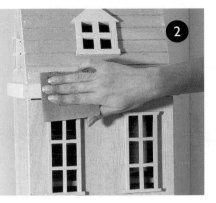

2. Poncez tout d'abord finement le bois avec du papier abrasif, puis dépoussiérez-le bien.

3. Avec la grande brosse à tableau, enduisez toute la maison d'une sous-couche de gesso et laissez sécher.

4. Quand le gesso est bien sec, poncez-le puis dépoussiérez soigneusement le meuble.

5. Avec la grande brosse à tableau, appliquez en couche uniforme la couleur de fond, un vanille clair, sur l'ensemble du meuble à l'exception du toit et des ouvertures. Laissez bien sécher.

6. Ensuite, avec une éponge naturelle imprégnée d'un ton orangé plus soutenu, tamponnez la surface peinte en vanille. Laissez sécher cette nouvelle application.

7. Puis, avec la grande brosse à tableau, peignez en rouge brique ou en brun rougeâtre le toit de la maison pour lui donner une apparence proche de la réalité.

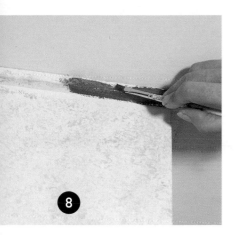

8. Avec la petite brosse à tableau, peignez en vert foncé le socle du meuble figurant la pelouse.

9. Puis peignez les fenêtres en blanc et laissez sécher.

10. Avec une petite brosse à pochoir, peignez sur la façade de la maison le parterre fleuri et les arbres encadrant la porte d'entrée.

11. Peignez ensuite au pochoir, dans deux tons de vert, le lierre qui court sur le mur latéral de la maison. Ajoutez à la base du mur un motif imitant une palissade et de petits motifs décoratifs au-dessus des fenêtres.

12. Pour terminer, recouvrez le meuble de deux couches de vernis acrylique satiné à l'aide de la brosse plate, en laissant bien sécher la première couche et en la ponçant avant d'appliquer la seconde.

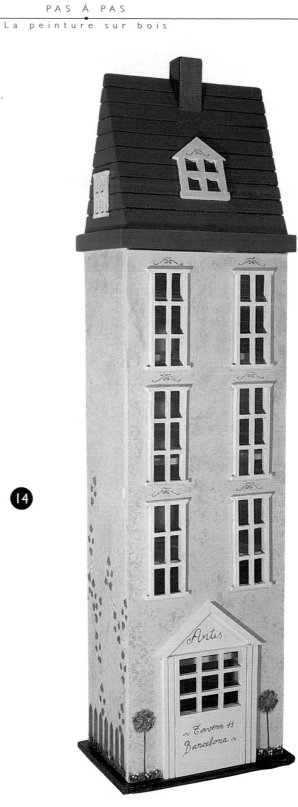

13. Détail de la partie inférieure de la maison.

14. La décoration de la maison est terminée. Son allure pimpante en fait un élément décoratif à part entière, mais elle peut aussi servir à ranger des disques compacts ou les jouets des enfants.

15
pas à pas

Peinture populaire d'Europe centrale

LES MEUBLES D'EUROPE CENTRALE, COMME CEUX QUE L'ON TROUVE AU TYROL, SONT DÉCORÉS DE MOTIFS POPULAIRES QUI VÉHICULENT LE FOLKLORE DE LEUR PAYS. LES ORNEMENTS FLORAUX STYLISÉS ET LA SYMÉTRIE SONT LES ÉLÉMENTS DOMINANTS DE CE TYPE D'ORNEMENTATION. LE DÉCOR FAIT EN GÉNÉRAL APPEL À DES COULEURS TRADITIONNELLES, CHACUN APPORTANT SA TOUCHE PERSONNELLE AU NIVEAU DES DÉTAILS ET DES NUANCES. UNE PATINE ADOUCIT LES COULEURS TROP VIVES ET DONNE AUX MEUBLES UNE APPARENCE ANCIENNE.

Papier abrasif fin, gesso, grande brosse à tableau, brosse plate ordinaire de 25 mm en soies synthétiques, pinceau fin, petites brosses à tableau en soies synthétiques, teinture noyer foncé, mèche de coton, chiffon, papier carbone de couleur jaune, papier calque, crayon, ruban adhésif, plume d'oie, éponge naturelle, ruban de masquage, palette, patine à ombrer (bitume de Judée), couleurs acryliques : vert foncé, noir, rouge brique, jaune, blanc, beige, rouge, vert clair, brun, caramel, bleu et blanc, médium acrylique, vernis acrylique.

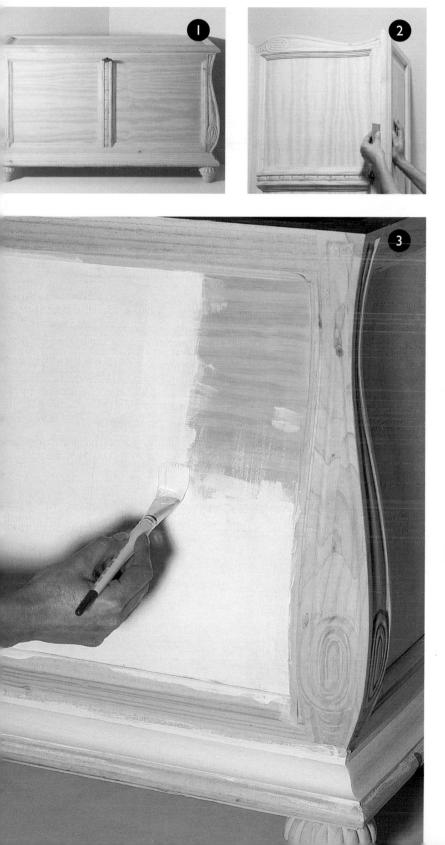

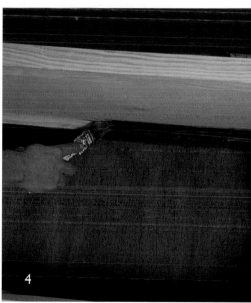

1. Aperçu du buffet en bois brut avant sa transformation.

2. Procédez tout d'abord au ponçage de l'ensemble du meuble à l'aide de papier abrasif, puis dépoussiérez-le soigneusement.

3. À l'aide de la grande brosse à tableau, appliquez une couche de gesso sur les parties destinées à être peintes.

4. Puis passez une teinture noyer foncé sur le reste du buffet, y compris à l'intérieur du meuble.

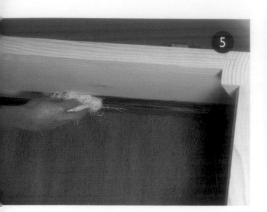

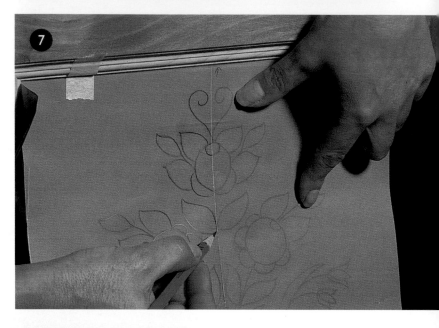

5. Avant que la teinture ne sèche, essuyez-en l'excédent avec un tampon de mèche de coton, pour uniformiser la teinte et éviter la formation de taches dues à une répartition irrégulière du produit.

6. Poncez et dépoussiérez les surfaces enduites de gesso puis peignez-les en vert foncé avec la grande brosse à tableau. La netteté des contours est assurée par la pose d'un ruban de masquage, qui protège les parties adjacentes teintes en noyer foncé.

7. Transférez sur ce fond vert sombre, à l'aide de papier carbone de couleur jaune, le motif que vous avez choisi de décalquer. Calque et carbone doivent être fixés à l'aide de ruban adhésif.

8. Détail du motif floral reproduit sur le meuble.

9. À l'aide d'un pinceau fin, peignez les feuilles dans un vert plus clair que celui du fond.

10. Peignez ensuite les fleurs en rouge, puis le reste du motif.

11. Recouvrez de rouge brique les moulures des panneaux, en veillant à ne pas tacher les parties adjacentes.

12. Peignez en noir les moulures supérieure et inférieure du buffet, couleur qui servira de fond à un décor faux marbre.

13. Quand ce fond noir est sec, tapotez-le avec une éponge naturelle imprégnée de glacis vert et rouge brique pour produire ainsi un effet marbré.

14. Ensuite, avec une plume d'oie et de la peinture blanche, reproduisez les veines du marbre sur ce fond noir peint à l'éponge.

15. Quand le décor peint est entièrement sec, passez à la brosse plate une couche de patine à ombrer, à base de bitume de Judée, sur tout le meuble.

16. Essuyez la patine encore humide avec un tampon de mèche de coton pour l'estomper.

17. Quand la patine est bien sèche, vernissez entièrement le buffet à la brosse plate pour en protéger la décoration et en rehausser les teintes.

18. Détail de l'un des motifs ornant les panneaux des portes, permettant d'apprécier la technique de mise en relief des divers éléments décoratifs.

19. Aspect du buffet décoré selon la tradition folklorique d'Europe centrale. La métamorphose est surprenante !

Effet moucheté

16
pas à pas

CETTE TECHNIQUE CONSISTE À ÉCLA-
BOUSSER UN FOND UNI DE TACHES
DE COULEUR CONTRASTANTES POUR
PRODUIRE UN EFFET MOUCHETÉ OU GRA-
NITÉ SELON LA FINESSE DE LA PROJECTION.
POUR CELA, IL SUFFIT DE FRAPPER LE
MANCHE DE LA BROSSE CHARGÉE DE
COULEUR CONTRE UNE BAGUETTE EN
BOIS DE FAÇON À PROJETER DE
FINES GOUTTELETTES SUR LA SUR-
FACE À DÉCORER. ON PEUT ÉGALEMENT
PROJETER LA PEINTURE EN RECOUR-
BANT LES SOIES DE LA BROSSE AVEC LES
DOIGTS. LA DENSITÉ ET LA TAILLE DES
MOUCHETURES DÉPENDENT DE LA
FLUIDITÉ DE LA PEINTURE, DE L'ÉLOIGNE-
MENT PAR RAPPORT À LA SURFACE À
PEINDRE ET DE LA VIGUEUR DU GESTE. IL
CONVIENT DE PROCÉDER À DES ESSAIS
PRÉALABLES SUR DES CHUTES DE BOIS ET
DE JUGER À DISTANCE DU RÉSULTAT
OBTENU.

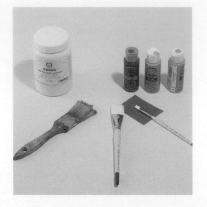

Papier abrasif, gesso, brosse plate ordinaire en soies usées, grande brosse à
tableau en soies synthétiques et petite
brosse à tableau, couleurs acryliques :
bleu, gris et doré, vernis acrylique.

Bibliothèque basse décorée
à la peinture projetée.

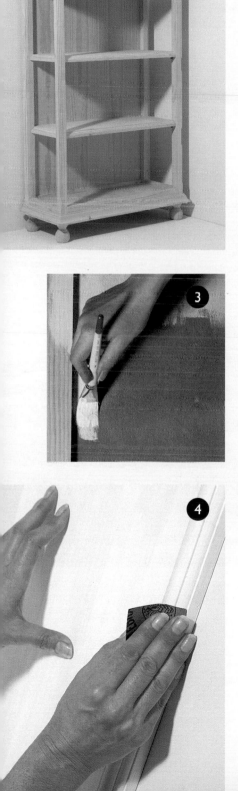

1. La même bibliothèque en bois brut, avant l'exécution du procédé décoratif.

2. Pour commencer, poncez entièrement le meuble au papier abrasif fin.

3. Puis enduisez toute la surface de gesso à l'aide de la grande brosse à tableau.

4. Quand l'enduit est sec, poncez-le finement pour obtenir une surface parfaitement lisse.

5. Une fois le meuble bien dépoussiéré, recouvrez-le d'une couche de fond d'un gris chaud à l'aide de la grande brosse à tableau. Laissez sécher et passez une seconde couche.

6. Puis, avec la brosse plate imprégnée de peinture bleue, projetez de fines gouttelettes sur le meuble en recourbant lentement les poils du pinceau du bas vers le haut.

7. Répétez le processus avec de la peinture dorée, pour ajouter une touche lumineuse au décor.

8. Puis soulignez en bleu les moulures et les pieds du meuble à l'aide de la petite brosse à tableau.

9. Quand la surface du meuble est sèche, recouvrez-la de trois couches de vernis acrylique en respectant le temps de séchage recommandé entre chaque couche.

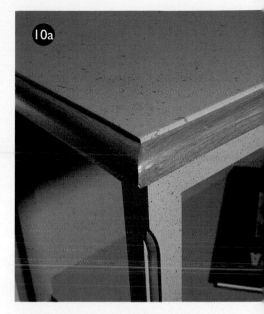

10a. Détail d'une partie du meuble permettant d'apprécier la mise en valeur des moulures et la finesse du moucheté.

10. Le traitement décoratif de la bibliothèque est terminé.

17
pas à pas

Peinture pochée et dorure

Papier abrasif, gesso, grande brosse à tableau en soies synthétiques, petite brosse à tableau, brosse à adoucir, brosse à tableau à poils souples, brosse à pocher, brosse ronde pour dorure à la feuille, mixtion à dorer, feuilles d'or, gomme-laque, bitume de Judée, couleurs acryliques : rouge anglais et bleu, vernis acrylique.

POUR OBTENIR CET EFFET MOUCHETÉ SUBTILEMENT MODULÉ, ON ÉTEND UN GLACIS TRANSLUCIDE SUR UN FOND OPAQUE ET, TANDIS QU'IL EST ENCORE FRAIS, ON EN TAPOTE LA SURFACE RAPIDE-MENT ET RÉGULIÈREMENT À L'AIDE D'UNE BROSSE À POCHER, À BOUT PLAT, QUI FRACTIONNE LE FILM EN UNE MULTITUDE DE GOUTTE-LETTES ET RÉVÈLE AINSI PARTIELLEMENT LE FOND. ON EMPLOIE EN GÉNÉRAL UN GLACIS D'UNE TEINTE PLUS FONCÉE QUE CELLE DU FOND. LE RÉSULTAT OBTENU EST D'UNE GRANDE DÉLICATESSE.

1. Aspect initial de la tête de lit en bois brut

1

108

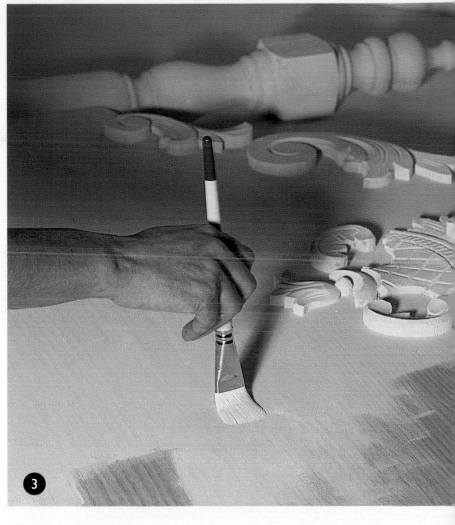

2. À l'aide du papier abrasif, poncez entièrement la tête de lit pour éliminer toute aspérité.

4. Peignez ensuite en rouge anglais les moulures et motifs sculptés qui vont être dorés à la feuille.

3. Dépoussiérez-la bien puis, avec la grande brosse à tableau, enduisez-la de deux couches de gesso, en laissant bien sécher chaque couche.

5. Quand la peinture est sèche, recouvrez-la, à l'aide de la petite brosse à tableau, d'une couche de mixtion à dorer sur laquelle adhéreront les feuilles d'or.

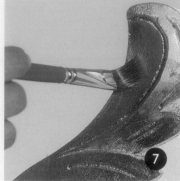

6. Appliquez les feuilles d'or sur la mixtion à dorer avec la brosse à adoucir de façon à ce qu'elles épousent parfaitement le relief des moulures.

7. Quand la pose des feuilles d'or est achevée, passez-les à la brosse à tableau à poils souples pour éliminer les fragments superficiels.

8. Étendez un glacis bleu sur les surfaces planes de la tête de lit, puis soulevez ce glacis encore humide à la brosse à pocher, par petits coups secs.

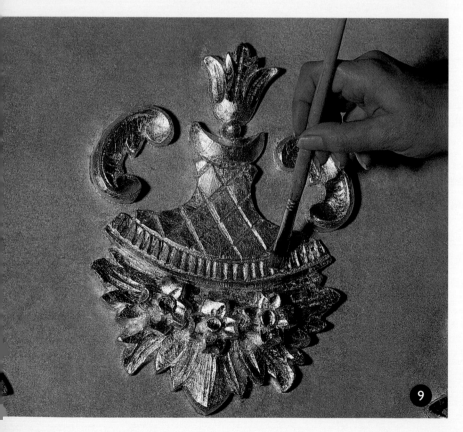

9. Avec la petite brosse à tableau, passez ensuite de la gomme-laque sur les reliefs dorés à la feuille.

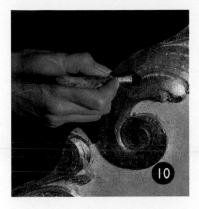

10. À l'aide de la brosse ronde, patinez les dorures au bitume de Judée, puis recouvrez-les d'une nouvelle couche de gomme-laque pour les protéger.

11. Avec la grande brosse à tableau, étendez ensuite trois couches de vernis acrylique sur les surfaces pochées, en laissant bien sécher le vernis entre chaque couche.

12. Ainsi s'achève le traitement décoratif de la tête de lit.

12a. Ce détail permet d'apprécier à quel point la délicatesse de la peinture pochée se marie bien à l'élégance des reliefs dorés.

18
pas à pas

Imitation
de ronce

LES RONCES DU BOIS SE CARACTÉRISENT PAR LEUR DESSIN IRRÉGULIER ET TOURMENTÉ ET LA DENSITÉ DE LEURS NŒUDS. LA TECHNIQUE D'IMITATION DES RONCES RESTE LA MÊME, QUEL QUE SOIT LE TYPE DE BOIS. SEULES LA PALETTE DE COULEURS, LES VEINES ET LA RÉPARTITION DES NŒUDS VARIENT SELON L'ESSENCE REPRODUITE. CE PROCÉDÉ, QUI PERMET D'OBTENIR DES EFFETS TRÈS DÉCORATIFS, PEUT S'EMPLOYER SUR DIVERS OBJETS EN BOIS AUX LIGNES SIMPLES : COFFRETS, PETITS MEUBLES, ETC.

Papier abrasif, gesso, grande brosse à tableau, brosse à tableau usée en soies de porc, blaireau à estomper, brosse plate ordinaire de 25 mm en soies synthétiques, mèche de coton, chiffon, éponge naturelle, ruban adhésif, essence de térébenthine, teinture chêne clair, vernis polyuréthane brillant, couleurs à l'huile terre de Sienne, ocre-jaune et terre d'ombre brûlée.

1. Voici l'horloge en bois blanc que nous vous proposons de transformer à l'aide d'une peinture imitation ronce.

2. Commencez par poncer entièrement la caisse de l'horloge pour obtenir une superficie parfaitement plane.

3. Puis, avec la grande brosse à tableau, appliquez une couche de gesso sur les parties devant recevoir un décor imitation ronce.

4. Quand l'enduit est bien sec, poncez-le finement puis dépoussiérez soigneusement le meuble.

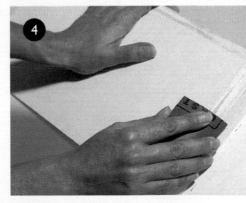

5. Passez une seconde couche de gesso.

6. Poncez à nouveau cette seconde couche.

7. Le meuble bien dépoussiéré, commencez par appliquer de larges touches terre de Sienne à la brosse à tableau usée.

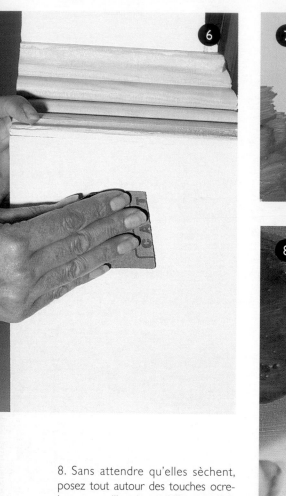

8. Sans attendre qu'elles sèchent, posez tout autour des touches ocre-jaune, en veillant à ce qu'elles ne soient pas trop près des précédentes.

9. Pour finir, appliquez des touches terre d'ombre brûlée sur les touches terre de Sienne et ocre-jaune.

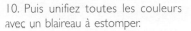

10. Puis unifiez toutes les couleurs avec un blaireau à estomper.

11. Sans laisser sécher, avec une éponge imprégnée d'essence de térébenthine, tamponnez légèrement ces couleurs mélangées de façon à former des auréoles plus claires.

12. Avec un chiffon plié en quatre, marquez les veines sinueuses du bois.

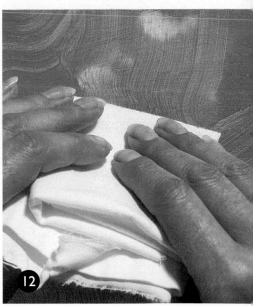

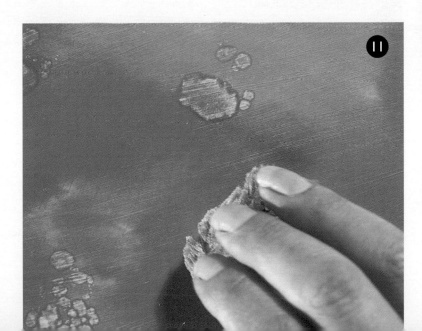

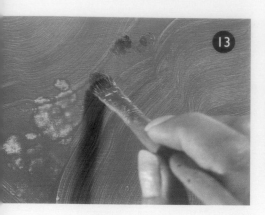

13. Puis ajoutez les nœuds avec une brosse à tableau chargée de terre d'ombre brûlée que vous faites pivoter sur place pour tracer des formes circulaires.

14. Quand les couleurs sont encore fraîches, estompez au blaireau nœuds et veines. Le délai de séchage de la peinture est d'environ une semaine.

15. Avec une brosse plate, passez l'intérieur de la caisse à la teinture chêne clair.

16. Uniformisez la teinture encore humide en la frottant à la mèche de coton.

17. Passez également les moulures extérieures à la teinture chêne clair.

18. Quand la peinture est sèche, recouvrez l'ensemble du meuble de trois couches de vernis polyuréthane, en laissant bien sécher chaque couche et en la ponçant finement avant d'appliquer la suivante.

19a. Détail mettant en évidence les veines, les nœuds et le fondu des couleurs qui contribuent à donner au décor de cette horloge l'aspect d'une ronce de bois clair.

19. Comme on peut en juger d'après cette photographie, la transformation est vraiment surprenante !

Décor à l'encre

19
pas à pas

Papier abrasif, teinture chêne clair, laine d'acier, papier carbone, papier calque, crayon, encre de Chine, plume métallique, pinceau, brosse plate ordinaire de 25 mm en soies synthétiques, petite brosse à tableau en soies de porc, vernis polyuréthane satiné.

CE PROCÉDÉ DÉCORATIF TRADITIONNEL ENGENDRE D'INTÉRESSANTS CONTRASTES ENTRE L'ASPECT CLAIR ET SATINÉ DE CERTAINS BOIS ET LA TEINTE NOIRE ET OPAQUE DE L'ENCRE DE CHINE. MÊME S'IL SEMBLE IMPLIQUER UN TRAVAIL TRÈS MÉTICULEUX, IL EST ASSEZ RAPIDE À RÉALISER UNE FOIS LE MOTIF DÉCALQUÉ : IL S'AGIT TOUT SIMPLEMENT D'EN SOULIGNER LES CONTOURS À LA PLUME OU D'EN REMPLIR LES ESPACES AU PINCEAU FIN. CETTE FINITION CONVIENT PARFAITEMENT AUX BOIS PÂLES ET DORÉS. OUTRE L'ENCRE DE CHINE NOIRE, ON PEUT AUSSI EMPLOYER UNE ENCRE SÉPIA, D'UN BRUN CHAUD.

1. Aspect initial de la table en bois blanc.

2. Le travail de préparation consiste à poncer entièrement le meuble au papier abrasif fin, puis à bien le dépoussiérer.

3. Ceci fait, appliquez à la brosse plate une teinture chêne clair sur toute sa surface, y compris celle du tiroir.

4. Une fois que la teinture est sèche, polissez le meuble à la laine d'acier.

5. Après avoir décalqué les motifs, reportez-les sur le dessus de la table et sur sa tablette inférieure.

6. Soulignez les lignes du motif à la plume métallique chargée d'encre de Chine noire.

7. Avec cette même encre, mais cette fois-ci au pinceau fin, peignez la moulure et la frise bordant la table, ainsi que certaines parties des pieds.

8. Quand l'encre est sèche, passez trois couches de vernis polyuréthane satiné sur tout le meuble, en respectant le temps de séchage recommandé entre chaque couche.

9a. Détail du motif ornant la tablette inférieure, différent de celui ornant le plateau supérieur.

9b. Aperçu de la partie supérieure de la table, permettant d'apprécier la délicatesse de cette technique décorative.

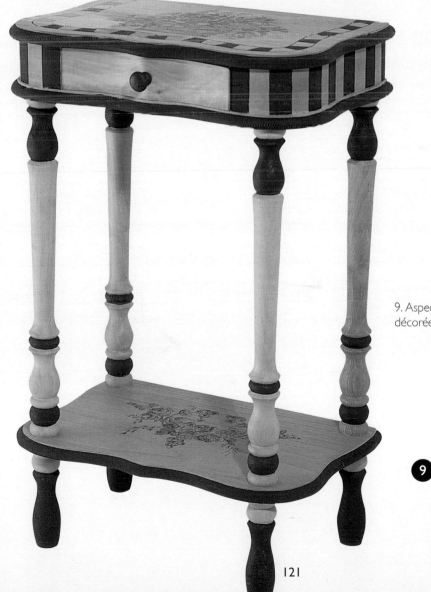

9. Aspect final de la table entièrement décorée.

pas à pas
Grands meubles

Peinture lissée

pas à pas

LE LISSAGE PROCÈDE DES TECHNIQUES DE VEINAGE DU BOIS. IL ÉTAIT EMPLOYÉ AUTREFOIS POUR DÉCORER LES ESPACES ENCADRANT DES PANNEAUX MURAUX TRAITÉS EN FAUX MARBRE OU À LA PEINTURE POCHÉE. ON UTILISE POUR OBTENIR CET EFFET UNE BROSSE À SOIES LONGUES ET RAIDES QUI PERMET DE RÉALISER UN STRIAGE IRRÉGULIER. CET EFFET LISSÉ DOIT SUIVRE DE PRÉFÉRENCE LE SENS NATUREL DES FIBRES DU BOIS.

Papier abrasif, gesso, grande brosse à tableau, brosse à lisser en soies de porc, petite brosse à pinceau, pinceau fin, papier calque, papier carbone de couleur jaune, glacis acrylique blanc et couleurs acryliques : blanc, rouge, jaune, vert clair, bleu moyen, vieux rose, vert et bleu vif, vernis acrylique.

Berceau décoré à la peinture lissée et agrémenté de motifs peints au pochoir.

124

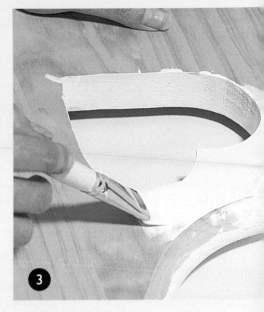

1. Aspect initial du berceau en bois brut.

2. Pour commencer, poncez entiè-rement le meuble à l'aide de papier abrasif pour que sa surface soit bien lisse.

3. Puis, avec une grande brosse à tableau, enduisez-le d'une couche de gesso et poncez soigneusement toute la surface dès qu'elle est bien sèche.

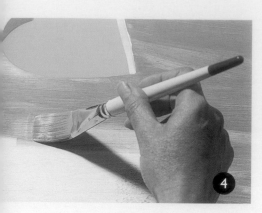

4. Une fois le meuble bien dépoussiéré, recouvrez d'une sous-couche couleur vieux rose la tête et le pied, ainsi que certains montants latéraux.

6. Ensuite, transférez, à l'aide d'un carbone, le motif décalqué de votre choix sur les parties du meuble ayant reçu un glacis lissé.

5. Avec une brosse à lisser et en un seul passage, appliquez un glacis blanc sur la teinte de fond de la tête et du pied du berceau, en veillant à donner aux stries caractérisant la technique du lissage un aspect assez régulier.

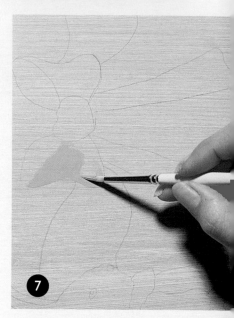

7. Peignez ce motif au pinceau fin dans la gamme de teintes indiquée ou dans les couleurs de votre choix.

8. Puis, avec une petite brosse à tableau, peignez en blanc les chants et les barreaux du berceau.

9. Quand la peinture est sèche, recouvrez le berceau de vernis acrylique, choisi pour son absence de toxicité, détail important pour les meubles d'enfants.

10. Cette photographie met bien en évidence l'ensemble des techniques décoratives employées sur ce meuble.

11 et 12. Détail des motifs décorant la tête et le pied du berceau. Sur la première, on aperçoit le prénom du bébé souligné d'un ruban joliment noué. Sur la seconde, deux petits lapins accompagnent le motif rubané. Une scène naïve, qui convient bien à ce type de meubles.

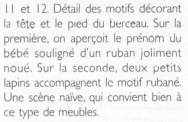

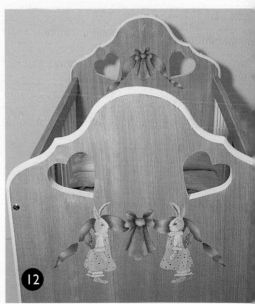

Craquelures

21
pas à pas

Gesso, papier abrasif, grande brosse à tableau, brosse plate ordinaire de 25 mm en soies synthétiques, teinture chêne moyen, chiffon, mèche de coton, ruban de masquage, vernis à craqueler à un seul composant, pochoir, brosse à pochoir, couleurs acryliques : ocre et vert bleuté, vernis polyuréthane mat.

CETTE TECHNIQUE DE PATINE CONSISTE À APPLIQUER UN VERNIS À CRAQUELER TRANSPARENT SUR UNE BASE COLORÉE. À MESURE QU'IL SÈCHE, LE VERNIS AGIT SUR LA COUCHE DE FOND ET ENGENDRE DES TENSIONS SUPERFICIELLES QUI PROVOQUENT SON CRAQUÈLEMENT. PEU À PEU, LES CRAQUELURES RÉVÈLENT AINSI LE FOND. POUR UN EFFET DE PATINE PLUS PRONONCÉ, ON PEUT AUSSI PASSER SUR LES CRAQUELURES DU BITUME DE JUDÉE OU TOUTE AUTRE PATINE À OMBRER. LA SURFACE À TRAITER NE DOIT PAS ÊTRE POREUSE, CAR SI ELLE ABSORBE LE VERNIS, LES CRAQUELURES NE PEUVENT SE FORMER. IL FAUT SAVOIR EN OUTRE QUE PLUS LA COUCHE DE VERNIS EST ÉPAISSE, PLUS LES CRAQUELURES SONT RARES ET LARGES, PLUS ELLE EST FINE, PLUS LES CRAQUELURES SONT FINES ET NOMBREUSES.

Aspect du meuble à bouteilles décoré selon cette technique.

1. Meuble en bois blanc tel qu'il se présentait avant son traitement.

2. Commencez par poncer entièrement le meuble pour en lisser la surface, puis dépoussiérez-le avec soin.

3. À l'aide de la grande brosse à tableau, recouvrez d'une couche de gesso les parties du meuble qui seront ornées de peinture craquelée. Quand il est sec, poncez-le au papier abrasif fin puis dépoussiérez bien.

4. Appliquez à la brosse plate une couche de teinture chêne moyen sur le reste du meuble.

5. Essuyez la teinture encore humide au tampon de mèche de coton pour l'uniformiser.

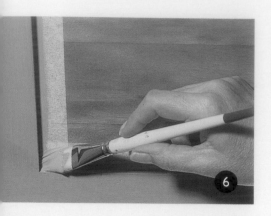

6. Après avoir protégé les zones teintées avec du ruban de masquage, peignez en ocre, à la grande brosse à tableau, les parties du meuble préalablement enduites de gesso. Cette couleur servira de teinte de fond pour la mise en valeur des craquelures.

7. Puis appliquez une couche uniforme de vernis à craqueler sur toute la surface peinte et laissez sécher.

8. Recouvrez alors le vernis sec d'une couche de peinture vert bleuté.

9. Après séchage, vous pourrez constater que cette couche de finition est parcourue d'un réseau de fines craquelures qui laissent apparaître la couleur ocre passée en sous-couche.

10. Puis décorez au pochoir, avec les motifs de votre choix, le dessus, les côtés et les tiroirs du meuble, en employant la même peinture vert bleuté.

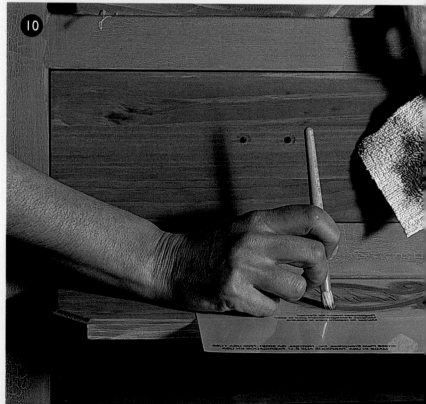

11. Quand les motifs sont secs, poncez-les très légèrement pour en vieillir l'aspect.

12. Recouvrez ensuite l'ensemble du meuble de trois couches de vernis polyuréthane mat, en laissant bien sécher chaque couche et en la ponçant finement avant d'appliquer la suivante.

13. Aspect final du meuble entièrement décoré.

13a. Détail du motif ornant l'un des côtés du meuble.

22
pas à pas

Décor
à l'italienne

Gesso, papier abrasif, grande brosse à tableau, brosse plate ordinaire de 25 mm en soies synthétiques, petites brosses à tableau, pinceaux fins, papier calque, papier carbone noir, couleurs acryliques : argent, vert foncé, vert jade, gris et crème, vernis polyuréthane.

DÈS LE XVᵉ SIÈCLE, LES ITALIENS ONT EU RECOURS AU GESSO POUR PRÉPARER LES FONDS DEVANT RECEVOIR UNE DORURE OU PRÉSENTANT DES RELIEFS, OU ENCORE LES FONDS PASTEL DE CERTAINS MEUBLES FLORENTINS OU VÉNITIENS AU DÉCOR RAFFINÉ DÉLICATEMENT FLEURI. LES MOTIFS MONOCHROMES ÉTAIENT PEINTS DANS UNE TEINTE CLAIRE EN HARMONIE AVEC LE FOND DE COULEUR. ACTUELLEMENT, LE GESSO S'EMPLOIE POUR CONFÉRER UN ASPECT VIEILLI AUX DORURES.

Ainsi décoré, ce meuble peut embellir le décor de n'importe quelle pièce de la maison.

1. Aperçu du secrétaire à l'état brut.

2. La première étape du traitement consiste à poncer tout le meuble au papier abrasif fin, puis à le dépoussiérer soigneusement.

3. Ensuite, avec la grande brosse à tableau, enduisez entièrement la surface d'une couche de gesso.

4. Quand le gesso est sec, poncez-le finement, puis dépoussiérez à nouveau le meuble.

5. Ceci fait, peignez la totalité du meuble en vert jade avec la grande brosse à tableau.

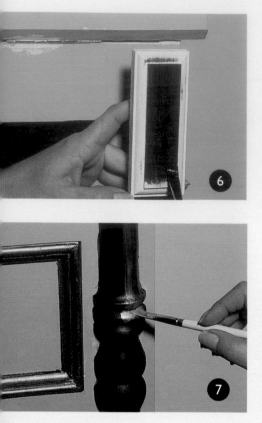

6. Avec un autre vert, cette fois-ci plus foncé, peignez, avec une petite brosse à tableau, les moulures des tiroirs et les colonnes moulurées situées de part et d'autre.

7. Puis étendez un glacis argent sur ce vert foncé pour en modifier l'aspect.

8. Au carbone, reportez, sur le fond peint, le motif choisi pour orner le dessus du secrétaire.

9. Vue détaillée du motif transféré.

10. Peignez ce motif en crème pour qu'il ressorte délicatement sur le fond jade.

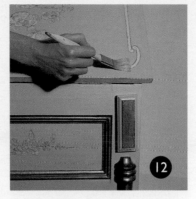

11. Puis soulignez le motif de gris foncé pour lui donner plus de relief.

12. Procédez de même pour la décoration des tiroirs, puis appliquez à la brosse plate trois couches de vernis polyuréthane sur le secrétaire, en laissant sécher chaque couche et en la ponçant finement avant d'appliquer la suivante.

13. La décoration du secrétaire est terminée.

13a. Ce détail permet d'apprécier la délicatesse du motif floral ornant le meuble.

23

pas à pas

Peinture au vinaigre

Papier abrasif, teinture merisier, mèche de coton, chiffon, tampon de lofa, cire, peinture acrylique marron foncé, vinaigre, brosse plate ordinaire de 25 mm, brosse à pochoir, pinceaux fins, petite brosse à tableau, crayon, papier calque, papier carbone de couleur jaune, ruban de masquage, couleurs acryliques : blanc et bleu, vernis polyuréthane satiné, laine d'acier.

LA PEINTURE AU VINAIGRE EST ORIGINAIRE D'EUROPE CENTRALE. CETTE TECHNIQUE PEU ONÉREUSE, PUISQU'ELLE FAIT APPEL À UN PRODUIT DOMESTIQUE COURANT, EST INTÉRESSANTE À CONNAÎTRE POUR RÉALISER DES GLACIS IMITANT LE BOIS. LA CIRE EMPLOYÉE EN COUCHE DE FOND PERMET QUE LA PEINTURE AU VINAIGRE SÈCHE LENTEMENT, LAISSANT AINSI ASSEZ DE TEMPS POUR EXÉCUTER LES FINITIONS.

L'effet obtenu avec la peinture au vinaigre n'est pas limité à une essence de bois particulière. Les veinures qui en résultent donnent du caractère aux meubles et métamorphosent les bois ordinaires.

1. Aperçu de l'armoire à l'état brut.

2. Poncez entièrement toutes les parties de l'armoire, y compris les portes et les tiroirs, puis dépoussiérez soigneusement le meuble.

3. Avec une brosse plate, imprégnez le bois de teinture merisier, y compris les faces latérales des tiroirs.

4. Essuyez la teinture encore humide au tampon de mèche de coton pour en uniformiser la teinte.

5. Quand la teinture est parfaitement sèche, polissez la surface du meuble au tampon de lofa.

6. Puis passez sur tout le meuble un chiffon imprégné de cire.

7. Sur cette couche de cire, appliquez à la brosse plate une couche de peinture marron foncé additionnée de vinaigre.

8. Puis, sur cette peinture encore fraîche, réalisez des empreintes circulaires à la brosse à pochoir.

9. Avec un papier carbone de couleur jaune, transférez sur les tiroirs un motif préalablement relevé au calque. Pour que les feuilles ne se déplacent pas, fixez-les au ruban adhésif.

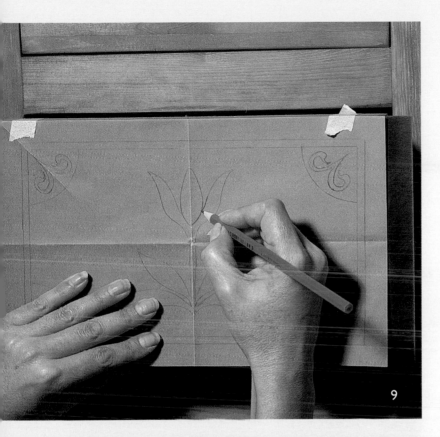

10. Procédez de même pour reporter le motif de votre choix sur les portes de l'armoire.

11. Détail du motif transféré après retrait du carbone.

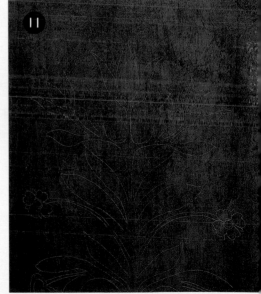

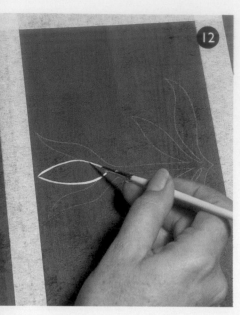

12. Au pinceau fin, peignez en blanc les contours des motifs.

13. Délimitez au ruban de masquage les parties à peindre en bleu avec une petite brosse à tableau pour éviter que les couleurs ne se mélangent et obtenir ainsi des contours bien nets.

14. Peignez également en bleu l'intérieur des motifs.

15. Quand la peinture est sèche, recouvrez le meuble d'une couche de vernis polyuréthane satiné et laissez sécher.

16. Pour finir, au tampon de laine d'acier, appliquez de la cire sur tout le meuble et faites briller avec un chiffon en coton.

17. Aperçu général de l'armoire une fois le travail terminé. La naïveté des motifs floraux et des empreintes irrégulières à la brosse associée à l'effet produit par la peinture au vinaigre confèrent à ce meuble un charme suranné.

Bois cérusé

24
pas à pas

CE TRAITEMENT DÉCORATIF S'APPLIQUE GÉNÉRALEMENT AUX BOIS À PORES OUVERTS ET À VEINES BIEN MARQUÉES. IL CONSISTE À IMPRÉGNER LES PORES DU BOIS D'UNE PÂTE OU CIRE À CÉRUSER DE COULEUR CLAIRE QUI EN FAIT RESSORTIR LES VEINES PAR UN EFFET DE CONTRASTE. LA PÂTE À CÉRUSER PEUT ÊTRE TEINTÉE, MAIS TOUJOURS DANS DES TONS PASTEL POUR NE PAS MASQUER LES VEINES DU BOIS.

Papier abrasif, gesso, teinture chêne moyen, mèche de coton, chiffon, bouche-pores, cire à céruser de couleur blanche, papier calque, papier carbone de couleur jaune, crayon, ruban adhésif, deux brosses à tableau usées, une brosse plate ordinaire de 25 mm, deux pinceaux fins, pigments terre d'ombre et terre d'ombre brûlée, couleurs acryliques : blanc et bleu, vernis gras.

Aperçu général de la table de toilette mise en valeur par la technique du bois cérusé qui lui confère une élégante patine.

1. Aspect présenté par la table de toilette avant sa transformation.

2. Pour commencer, poncez soigneusement l'ensemble du meuble au papier abrasif fin, pour obtenir une surface bien lisse, puis dépoussiérez-le bien.

3. Pour accentuer les veines du bois, appliquez sur le meuble une teinture chêne moyen à l'aide d'une brosse plate.

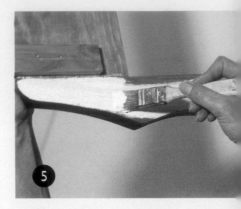

5. Ceci fait, enduisez-le entièrement de cire à céruser de couleur blanche.

4. Quand la teinture est sèche, passez le meuble au bouche-pores avec une brosse à tableau usée.

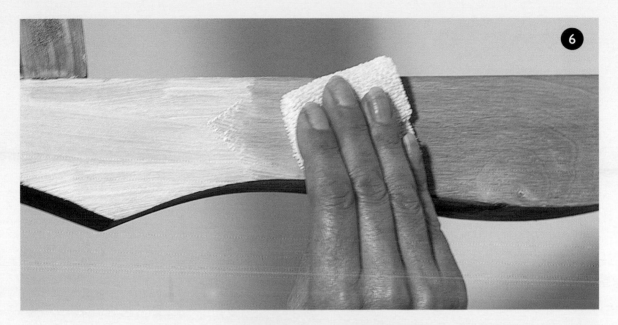

6. Puis frottez la cire au chiffon pour bien la faire pénétrer dans les pores du bois.

7. Reportez ensuite sur le meuble un motif préalablement décalqué, en fixant calque et carbone avec du ruban adhésif.

10. Aspect final de la table de toilette en bois cérusé orné de motifs floraux.

8. Puis, au pinceau fin, peignez en terre d'ombre et terre d'ombre brûlée les motifs décoratifs que vous aurez transférés.

9. Quand les couleurs sont sèches, appliquez trois couches de vernis gras sur tout le meuble, en respectant le temps de séchage recommandé entre chaque couche.

11a. Aperçu du décor ornant le dessus de la table.

11b. Comme on peut le voir sur ce détail, la cruche et la cuvette sont décorées de motifs similaires dans le ton du meuble.

11. Aspect final du meuble prêt à servir, garni des accessoires nécessaires à la toilette.

Bois vieilli

25
pas à pas

LA FINALITÉ DE CETTE TECHNIQUE EST DE DONNER UN ASPECT ANCIEN À UN MEUBLE NEUF, OU PLUS CLASSIQUEMENT, À DES ÉLÉMENTS RÉCEMMENT AJOUTÉS À DE VIEUX MEUBLES DANS LE CADRE D'UNE RESTAURATION. POUR OBTENIR UN EFFET AUTHENTIQUE, IL SUFFIT D'OBSERVER LE MOBILIER DE L'ÉPOQUE CORRESPONDANTE ET D'ESSAYER D'EN IMITER LES CARACTÉRISTIQUES.

Papier abrasif fin, vis, tournevis, marteau, vrille, teinture merisier foncé, deux brosses plates ordinaires de 25 mm en soies de porc, tampon de lofa, laine d'acier extra-fine, cire d'abeille, vernis mat, poignées.

Vieillir un meuble en bois relève d'une procédure inverse à celle de la conservation de meubles anciens. Plutôt que d'assainir le bois, comme on le fait sur un vieux meuble au stade de la préparation des fonds, on le détériore pour lui donner l'apparence d'un bois usé par le temps.

1. Aspect du meuble neuf avant sa métamorphose.

2. Tout d'abord, avec un marteau et des clous, perforez le bois pour imiter des trous de vrillette et reproduisez les traces de coups subis au fil des années par un meuble ancien.

3. Puis poncez-le entièrement au papier abrasif fin et dépoussiérez-le soigneusement.

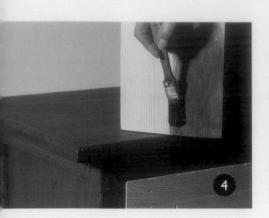

4. À l'aide de la brosse plate, imprégnez le bois d'une couche de teinture merisier foncé.

5. Quand la teinture est sèche, frottez-la avec un tampon de lofa pour polir le bois et en faire ressortir les veines.

6. Puis appliquez une couche de bouche-pores, et laissez bien sécher.

7. Passez une couche de cire d'abeille au tampon de laine d'acier sur l'ensemble du meuble.

8. Avec une règle et une vrille, marquez l'emplacement des trous de fixation des poignées.

10. Détail des tiroirs garnis de leur poignée.

11. Le traitement décoratif est terminé. Il nous a permis d'atteindre notre objectif ; donner à un meuble en bois blanc l'aspect authentique d'un meuble ancien.

9. Vissez les poignées sur tous les tiroirs.

Peinture sur cire

26
pas à pas

AUTREFOIS, POUR DÉLAVER LE BOIS AVEC LEQUEL ON CONSTRUISAIT LES MAISONS, ON UTILISAIT DE LA SOUDE CAUSTIQUE. CELLE-CI, EN PÉNÉTRANT LES FIBRES DU BOIS, L'ÉCLAIRCISSAIT ET EN FAISAIT RESSORTIR LES VEINES. AU DÉBUT DU XXᵉ SIÈCLE, CET EFFET FUT TRÈS EMPLOYÉ EN EUROPE, À DES FINS DÉCORATIVES. LA TECHNIQUE EXPOSÉE CI-APRÈS DONNE DES RÉSULTATS SEMBLABLES ET CONVIENT BIEN AUX MEUBLES SIMPLES AUXQUELS ON VEUT DONNER UN CHARME RUSTIQUE.

Papier abrasif fin, grande brosse à tableau, brosse plate ordinaire de 25 mm en soies de porc, couleurs acryliques : lilas et bleu, vernis acrylique, cire d'abeille vierge, laine d'acier.

Aspect général du buffet décoré avec une peinture passée sur des réserves à la cire qui lui donne un aspect vieilli.

1. Aperçu du buffet en bois blanc avant sa métamorphose.

2. Commencez par poncer entièrement le meuble à l'aide de papier abrasif fin, puis dépoussiérez-le soigneusement.

3. Avec un tampon de laine d'acier, appliquez de la cire par endroits, de façon irrégulière.

4. Sans attendre que la cire soit sèche, peignez à la brosse plate le corps du meuble en bleu puis les portes et les moulures en lilas. La peinture ne colore pas uniformément la surface du bois, puisqu'elle n'adhère pas sur les réserves à la cire.

5. Quand la peinture est sèche, frottez entièrement le meuble à la laine d'acier.

6. Pour finir, recouvrez le meuble de trois couches de vernis acrylique en respectant le temps de séchage recommandé entre chaque couche.

7

7. Le traitement décoratif est terminé. L'effet de peinture usée donne au meuble un aspect original.

7a. Détail de la partie centrale du buffet révélant les deux couleurs employées pour peindre le meuble.

7a

Veinage à la plume

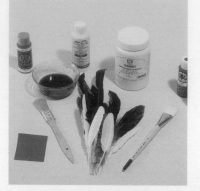

Papier abrasif fin, gesso, grande brosse à tableau, brosse plate ordinaire de 25 mm, teinture chêne moyen, glacis acrylique bleu violet, plumes d'oiseau, couleurs acryliques : bleu et ocre, vernis acrylique.

UN VEINAGE RÉALISÉ À LA PLUME CRÉE UN EFFET PLUS DENSE QU'UN VEINAGE RÉALISÉ À LA BROSSE, ET LES TRACES LAISSÉES PAR LES PLUMES SONT PLUS ALÉATOIRES. LES GRANDES PLUMES RÉSISTANTES, MAIS SUFFISAMMENT SOUPLES, COMME CELLES DU PAON OU DU FAISAN, CONVIENNENT PARFAITEMENT À L'EXÉCUTION DE CETTE TECHNIQUE.

Aspect final du meuble peint à la plume.

1. Vue du meuble à l'état brut, avant tout traitement.

2. La première étape du travail consiste à poncer entièrement le bois au papier abrasif fin, puis à bien le dépoussiérer.

3. À l'aide d'une grande brosse à tableau, enduisez de gesso les surfaces externes du meuble, puis laissez sécher.

4. Poncez le gesso pour obtenir une surface aussi lisse que possible. Puis dépoussiérez à nouveau soigneusement le meuble.

5. Passez une nouvelle couche de gesso, et poncez-la dès qu'elle est sèche.

6. Avec une brosse plate, imprégnez d'une teinture chêne moyen les faces cachées des tiroirs.

7. Essuyez la teinture humide au tampon de mèche de coton pour retirer tout excédent et uniformiser la couleur.

8. Appliquez une peinture ocre sur la surface externe du meuble, et laissez sécher.

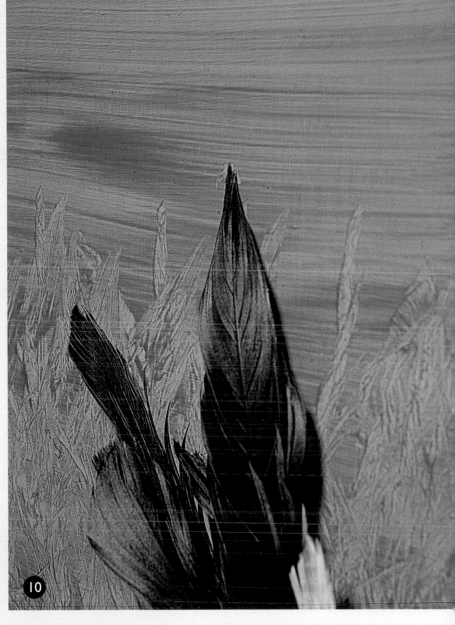

9. Étendez un glacis bleu de manière irrégulière sur cette base ocre.

10. Texturez ce glacis tant qu'il est encore frais en le caressant dans un mouvement ascendant avec un bouquet de plumes.

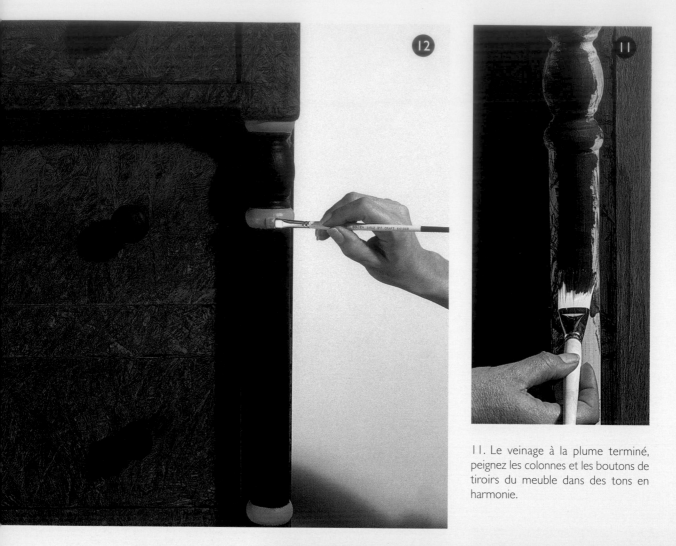

11. Le veinage à la plume terminé, peignez les colonnes et les boutons de tiroirs du meuble dans des tons en harmonie.

12. Détail de la peinture des colonnes.

13. Pour finir, appliquez sur le meuble trois couches de vernis acrylique en respectant le temps de séchage recommandé entre chaque couche.

14

14. Aspect du meuble entièrement décoré.

14a. Détail permettant d'apprécier la finesse du décor à la plume.

14a

28

pas à pas

Patine
au glacis

Papier abrasif fin, gesso, grande brosse à tableau, brosse plate ordinaire de 25 mm en soies synthétiques, chiffon, glacis acrylique vert et peinture acrylique dorée, pistolet à colle, agrafeuse, galon beige, tissu, vernis polyuréthane.

LE GLACIS EST UNE COUCHE DE COULEUR TRANSPARENTE APPLIQUÉE SUR UN FOND SEC POSSÉDANT UNE AUTRE TEINTE ET SE PRÊTANT AVANT SÉCHAGE À DIVERS EFFETS TEXTURÉS QUI LAISSENT TRANSPARAÎTRE LA COULEUR DE BASE. DANS LE CAS PRÉSENT, IL EST UTILISÉ POUR PATINER LA PEINTURE ET LUI DONNER UN ASPECT VIEILLI. IL EST ASSOCIÉ À UN EFFET DE PEINTURE USÉE, OBTENU EN PONÇANT LA COULEUR À CERTAINS ENDROITS POUR METTRE À NU LE BOIS INITIALEMENT RECOUVERT DE GESSO. L'APPLICATION DE PEINTURE DORÉE SUR CERTAINS RELIEFS ACCENTUE CETTE APPARENCE ANCIENNE TOUT EN DONNANT DE L'ÉCLAT AU MEUBLE.

Banquette décorée selon ce procédé.

1. Aspect initial de la banquette avant tout traitement.

2. Tout d'abord, poncez le meuble au papier abrasif fin, puis dépoussiérez-le soigneusement.

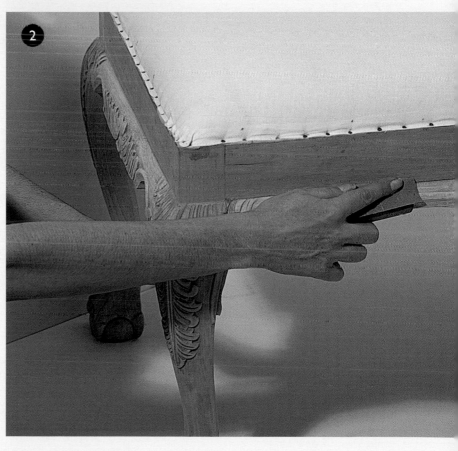

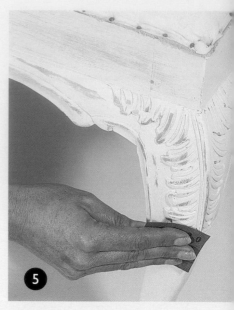

3. À l'aide de la grande brosse à tableau, enduisez-le d'une couche de gesso.

4. Quand le gesso est sec, poncez-le finement.

5. Puis continuez à poncer en insistant bien sur les reliefs, de manière à mettre à nu le bois à certains endroits pour créer un aspect usé

6. Après avoir bien dépoussiéré le bois, recouvrez-le entièrement d'une couche de glacis acrylique vert.

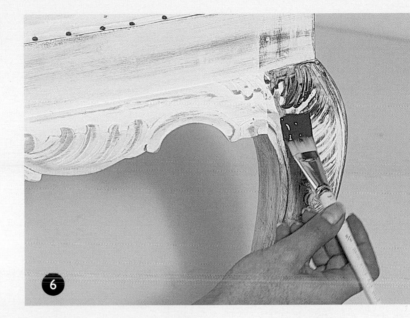

7. Essuyez ce glacis au chiffon tant qu'il est encore frais.

8. Avec le doigt, recouvrez de peinture dorée les parties des reliefs sculptés dont le bois a été mis à nu par ponçage.

9. Quand cette peinture dorée est sèche, étendez, à la brosse plate, trois couches de vernis polyuréthane sur le meuble, en respectant le temps de séchage recommandé entre chaque couche.

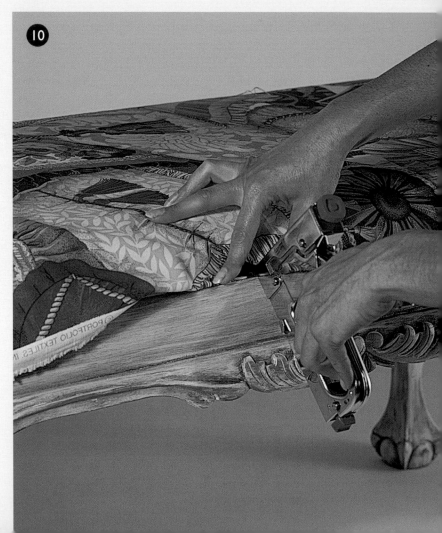

10. Recouvrez alors l'assise de la banquette avec du tissu, en le fixant à l'agrafeuse.

11. Puis posez au pistolet à colle un galon de finition qui masque les agrafes.

12. La décoration de la banquette est
terminée. Elle peut rejoindre la place
qui lui est destinée.

12a. Détail du tissu choisi pour garnir
l'assise de la banquette.

Effet texturé

29
pas à pas
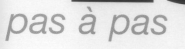

Papier abrasif fin, gesso, grande brosse à tableau en soies synthétiques, brosse plate ordinaire de 25 mm en soies de porc, un morceau de film plastique, couleurs acryliques : rouge et noir, médium acrylique, vernis polyuréthane satiné.

L'EFFET TEXTURÉ EST OBTENU PAR RETRAIT D'UNE COUCHE DE PEINTURE FRAÎCHE ÉTENDUE SUR UN FOND SEC DE COULEUR DIFFÉRENTE. LE PRINCIPE EST CLASSIQUE, MAIS CE QUI L'EST MOINS ICI EST LE MATÉRIAU EMPLOYÉ POUR CRÉER CET EFFET, À SAVOIR UNE FEUILLE DE MATIÈRE PLASTIQUE FROISSÉE QUI FORMERA UN TAMPON.

Aspect général de la vitrine ainsi décorée.

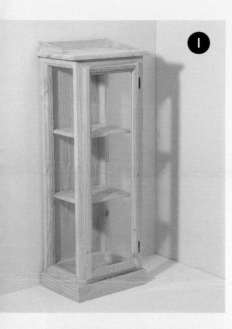

1. La vitrine à l'état brut, avant tout traitement.

2. Commencez par poncer le meuble avec du papier abrasif pour obtenir une surface bien lisse.

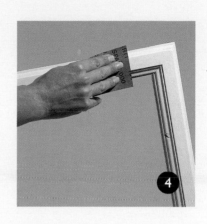

3. Puis enduisez-le entièrement de gesso à l'aide de la grande brosse à tableau.

4. Quand le gesso est sec, poncez-le soigneusement pour en lisser la surface.

5. Après avoir bien dépoussiéré le meuble, appliquez une couche de fond de couleur rouge.

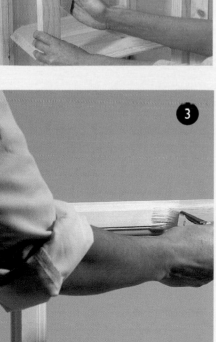

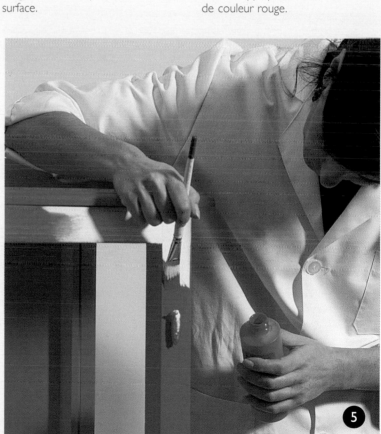

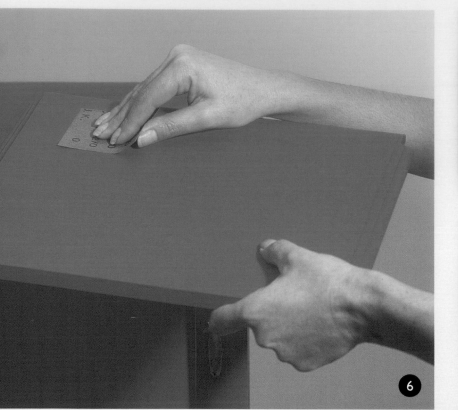

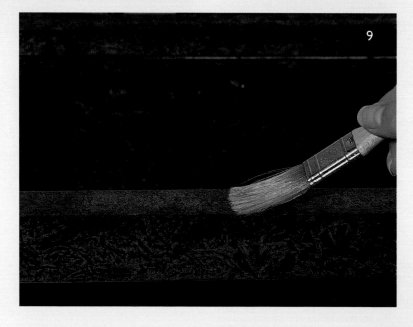

6. Attendez que la peinture soit sèche, puis poncez à nouveau le meuble.

7. Étendez une couche de glacis noir, obtenu en diluant la peinture au médium acrylique.

8. Pendant que le glacis est encore frais, tamponnez-le avec un morceau de film plastique froissé en boule, ou plissé d'une autre manière selon l'empreinte recherchée.

9. Quand la peinture est sèche, recouvrez tout le meuble d'une couche de vernis polyuréthane satiné.

10 et 11. Détails de différentes parties de la vitrine.

12. Ainsi traitée, la vitrine est devenue un meuble très décoratif.

30

Teinture
sur réserves

pas à pas

LE PRINCIPE DE LA RÉSERVE CONSISTE À IMPERMÉABILISER LES PARTIES DU BOIS QUE L'ON SOUHAITE LAISSER VIERGES. ON UTILISE POUR CELA DE LA GOMME LIQUIDE QUI FORME EN SÉCHANT UN FILM GOMMEUX QUE L'ON ÉLIMINE À LA GOMME À EFFACER. ON PEUT AINSI TRACER UN MOTIF À LA GOMME LIQUIDE ET PEINDRE PAR-DESSUS. CE PROCÉDÉ EST IDÉAL POUR EMBELLIR DES BOIS AUX VEINES RÉGULIÈRES COMME LE PIN, LE CHÊNE OU LE FRÊNE.

Papier abrasif, brosse plate ordinaire de 25 mm en soies de porc, pinceau fin en « oreille de bœuf », papier calque, papier carbone noir, crayon, ruban de masquage, gomme liquide à réserver, teinture bleu nuit et teinture orange, mèche de coton, gomme à effacer.

Aspect du lampadaire décoré à la teinture selon la technique de la réserve.

1. État initial du lampadaire avant sa transformation.

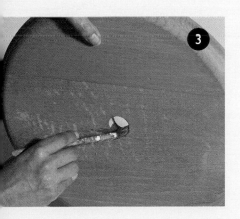

2. Procédez tout d'abord au ponçage intégral du meuble avec du papier abrasif.

3. Puis, à l'aide de la brosse plate, imprégnez-le entièrement de teinture orange.

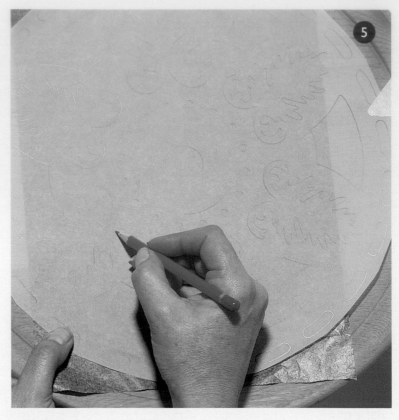

4. Avant que la teinture ne soit sèche, essuyez-en l'excédent avec un tampon de mèche de coton pour obtenir un résultat uniforme.

5. Après avoir décalqué le motif de votre choix destiné à décorer le plateau du lampadaire, reportez-le sur le bois à l'aide de papier carbone. Transférez aussi le motif retenu pour le pied du lampadaire.

6. Avec la gomme liquide, masquez au pinceau fin les parties dont vous souhaitez conserver la teinte orange pour éviter qu'elles ne soient souillées par l'application ultérieure de la teinture bleu nuit.

7. Quand la gomme est bien sèche, appliquez la teinture bleu nuit sur le plateau. La partie centrale, que l'on souhaite conserver telle quelle, est entourée de ruban de masquage.

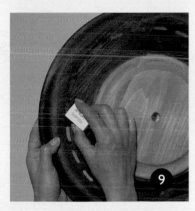

8. Essuyez la teinture fraîche au tampon de mèche de coton pour obtenir un résultat uniforme.

9. Quand la teinture est sèche, retirez le film de réserve en le frottant à la gomme, pour révéler la teinte orange du fond.

10. Passez trois couches de vernis polyuréthane sur le meuble, en respectant le temps de séchage recommandé entre chaque couche.

11. Aspect final du lampadaire mis en valeur par le contraste des couleurs employées.